D0591312

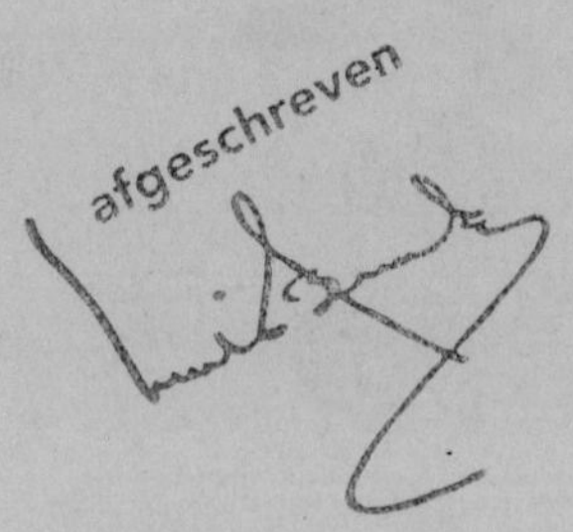
afgeschreven

Marc van Velzen

Jongleren

Amsterdam · Antwerpen
Em. Querido's Uitgeverij BV
2008

www.queridokind.nl

Omslag Nanja Toebak
Omslagillustratie Wouter Tulp

ISBN 978 90 451 0616 8 / NUR 283

Voor Joes

I

Duco stond op de pier en staarde naar het kolkende water onder zich. Schuimende golven sloegen tegen de betonblokken; dreigend trilde de pier af en toe onder zijn voeten. Ondanks de stralende zon huiverde hij. Als je hiervanaf viel had je écht een probleem. Je sloeg te pletter op de grote scherpe betonblokken, of je overleefde de val, belandde in het water en werd alsnog door de hoge golven op de rotsen gesmeten. Al die scherpe punten scheurden je tot op het bot open, zoals een scherp mes een biefstuk tot een tartaartje hakte. En daarna wisten de haaien die rondom de pier zwommen wel raad met je.

'Moet je ruiken Duco, wat heerlijk!' schreeuwde Gert-Jan boven het gebulder van de zee uit.

Wat stond die man weer overdreven te doen. Zeelucht opsnuiven? Met zijn ogen dicht nog wel, zo vlak bij de rand! Hij leek wel op een zeehond met zelfmoordneigingen. Er hoefde maar iets te gebeuren en zijn vader donderde zo naar beneden.

Duco keek om zich heen en streek plakkerige pieken krulhaar die in zijn gezicht waaiden opzij. Geen mens te zien op de pier, alleen hij en Gert-Jan en een paar meeuwen die krijsend in de lucht hingen. Er gebeurden wel vaker vreemde ongelukken op dit soort plekken. Wat was het verschil tussen een duwtje en een harde windstoot? Niemand zou weten dat hij het had gedaan...

'Kom we gaan weer terug naar het strand,' klonk het ineens vlakbij. Hij schrok op uit zijn gedachten.

'Wie het eerst beneden is,' riep Gert-Jan en rende vooruit.

Hij volgde op een sukkeldrafje. Waarom zou hij zich inspannen? Hij kon Gert-Jan toch niet bijhouden.

Aan het begin van de pier bleef hij hijgend stilstaan. Het was hier veel warmer dan op de kop. Met zijn arm veegde hij het zweet van zijn voorhoofd. Beneden voor de strandtent stonden rijen groene ligbedjes strak opgesteld voor de badgasten, als een peloton soldaten klaar voor een militaire inspectie. Hij zag vooral veel groen; er waren nog maar weinig mensen op het strand zo vroeg in het voorjaar. Maar een van die bedjes was voor hem. Daar ging hij zo meteen mooi op uitcrashen met zijn nieuwste boek van Roald Dahl. Voor vandaag had hij genoeg gedaan.

'Kom op luiwammes, doorlopen!' riep Gert-Jan over het strand.

Zijn moeder glimlachte vanachter een veel te grote zonnebril, die bijna van haar neus gleed.

'Was het mooi daar op de pier?' Ilse duwde de bril met haar duim omhoog. Ze zag er idioot uit met dat ding op. Hij wist dat die bril meer dan driehonderd euro had gekost, maar het leek meer op een sneeuwbril voor als je de Mount Everest ging beklimmen dan op een chique Yucci-zonnebril voor op het strand.

'Best wel,' zei hij, 'hoge golven. Als je eraf valt dan overleef je het niet.'

'Gelukkig was papa bij je om je te beschermen. Die zou zoiets nooit laten gebeuren. Toch, Gert-Jan?'

Die reageerde niet en ging zwijgend op een bedje liggen.

Voordat Duco op zijn bedje ging liggen keek hij om zich heen. Hij wilde niet dat iemand hem zonder T-shirt zag. Snel trok hij zijn shirt uit en liet zich voorover vallen. Hij pakte zijn boek en begon te lezen.

"*You mean people are actually going to be allowed to go inside the chocolate factory?*" *cried Grandpa Joe...*

'Kom op Duco, we gaan even lekker een balletje trappen!' Hij schrok op uit zijn boek.

Gert-Jan stond met een oranje voetbal in zijn handen te springen. Voetballen? Ze waren net nog naar de pier gelopen. *Charlie and the chocolate factory* was net zo spannend.

'Ik wil eerst mijn boek lezen, pa!' zei hij.

'Lezen kan later.' Gert-Jan stak zijn hand uit om hem overeind te trekken. Zuchtend kwam hij van zijn bedje af en pakte zijn T-shirt.

'Wie het eerst bij de zee is!' Als een pijl uit een boog stoof Gert-Jan weg.

'Doen jullie voorzichtig!' riep Ilse.

Met zijn T-shirt half over zijn hoofd zette hij aan voor een sprintje. Hij kwam voor geen meter vooruit en voelde zijn voeten in het zachte zand wegglijden. Gert-Jan stond met een halve lach en de bal aan zijn voet te kijken hoe zijn zoon hijgend aan kwam strompelen.

'Je moet toch echt meer gaan bewegen en minder eten, jongen,' zei Gert-Jan. 'Moet je kijken!' Hij pakte hem met twee handen beet bij de vetrollen die onder zijn T-shirt uitstaken en kneep erin.

'Au! Dat doet pijn. Blijf van me af, Gert-Jan!' Hij sloeg met beide handen de armen van zijn vader weg.

'Neem een voorbeeld aan mij, jongen.' Hij klopte op zijn platte buik, waar je duidelijk een sixpack kon zien . 'Negenendertig en nog geen grammetje vet.'

Gert-Jan had makkelijk praten, die was fit geboren. Die was vroeger Europees kampioen American football geweest. Alsof hij, Duco, er wat aan kon doen dat hij te dik was. Hij draaide zich om en liep terug naar de strandtent. Hij ging echt niet met die macho voetballen.

'Duco, niet weglopen. Kom op, passje over de hele!' Hij hoorde het doffe geluid van een voet die tegen een bal trapte en keek om. De bal kwam recht op hem af. Hij kon nog net zijn hoofd buigen, anders had hij hem zo in zijn gezicht gehad.

'Goed gereageerd,' riep Gert-Jan lachend. 'Terug passen aan mij, kom op!'

Duco wandelde achter de bal aan en gaf er een wilde schop tegen. Er schoot een vlammende steek door zijn tenen.

'Niet met je tenen, met je wreef moet je schieten! En naar mij, dáár staat niemand.' Gert-Jan sprintte achter de bal aan. Net voordat hij bij de bal kwam vertraagde hij zijn pas en met een glijdende beweging liet hij eerst een been langs de bal gaan en klemde met zijn andere been de bal heel even vast tussen voet en onderbeen. De bal maakte een sierlijke boog naar voren over het hoofd van Gert-Jan heen. Hij liet de bal een keer stuiteren en trapte hem met een boog naar Duco.

Die stond op één been te kijken met een voet in zijn handen, en masseerde zijn gekneusde tenen.

Wat een uitslover was die man toch. En wat zou hij graag ook zoiets willen laten zien. Dan kon Gert-Jan een keertje naar hèm kijken. Misschien zelfs trots op hem zijn. Hij liet zijn voet los en hield de bal met zijn handen tegen om de truc ook te proberen.

'Niet met je handen stoppen, jongen. Dit is vóétbal!' riep Gert-Jan.

Duco negeerde hem en ging door met het proberen van de beweging. Het enige wat hij bereikte was dat de bal van zijn hiel af sprong, naar achteren. Bij de derde poging struikelde hij over de bal en viel hij met zijn gezicht in het zand. Hij sprong op en schopte de bal zo ver mogelijk weg. Het liefste had hij het rotding ter plekke in stukken gesneden.

'Je moet vaker op straat spelen, Duco. Dan leer je dat soort trucs vanzelf,' zei Gert-Jan. 'Maar misschien kan ik je nog een beetje American football leren.' Hij gooide de bal naar Duco. 'Hier, jij bent de running back en ik moet jou tackelen! Jij moet langs mij heen proberen te rennen.'

Nou, mooi niet! Als Gert-Jan American football ging spelen vielen er meestal gewonden. Hij had al eens de enkel van mama gekneusd met een partijtje touch-football in het park. Terwijl iedereen toch wist dat je met touch-football niemand mocht aanraken. Hij bleef stokstijf staan.

Gert-Jan trok met zijn hiel een lijn in het zand en ging ervoor staan.

'Kom op, dit is de end zone.' Hij wees achter zich. 'Je moet over de lijn en langs mij heen om een touchdown te scoren!' Hij liet zich als een sumoworstelaar door zijn benen zakken en hield zijn handen voor zich uit.

Duco draaide zich om. Hij ging zéker niet aan die onzin meedoen, hij ging terug naar de chocoladefabriek. Hij begon in de richting van de strandtent te rennen.

'O, gaan we slim doen,' riep Gert-Jan. 'Maakt niets uit, ik pas mijn hoeken wel aan!' Hij overbrugde het gat in een paar seconden en was bijna bij Duco.

'Laag houden die schouder!' riep Gert-Jan vlak voordat ze elkaar zouden raken.

'Duco, wakker worden!' klonk het in de verte. Hij voelde iemand op zijn wang tikken. Hij deed zijn ogen open en sloot ze direct weer omdat de zon er recht in scheen.

'Wat is er gebeurd?' fluisterde hij.

'Ja, je hield je schouders niet laag toen ik je tackelde,' zei Gert-Jan lachend. 'Je kreeg een tikkie van mijn voorhoofd op je kin.'

Hij draaide zich op zijn zij en lag oog in oog met een schelp waaruit een krabbetje hem nieuwsgierig aan zat te kijken. Dat beestje lachte zich ook vast rot om de actie van Gert-Jan. Hij was echt gek. Je eigen zoon een beetje knock-out beuken en dan nog lachen ook. Met een ruk kwam hij overeind en spuugde zand uit zijn mond. Wat zou hij die eikel graag zelf omver willen beuken. Zo, baf! Dat hij keihard op zijn rug smakte.

'Niets tegen je moeder zeggen hoor,' zei Gert-Jan. 'Je was maar twee tellen uit. Niets aan de hand. Kom, we spelen weer verder.' Hij stak zijn hand uit om zijn zoon overeind te trekken.

Duco sloeg de hand met een wild gebaar weg. 'Als er niets aan de hand is, waarom mag ik dan niks tegen mama zeggen?' schreeuwde hij.

Hij liep terug naar de strandtent. Het was genoeg geweest. Hij ging die onzin niet meer pikken, nu niet en nooit meer!

'Niet zeuren, Duco, zo hard was het nou ook weer niet!'

Nee, hij was zeker vanzelf bewusteloos geraakt! Hij had die gek van de pier af moeten duwen. Nu was zijn kans voorbij.

Duco hoefde zijn mond niet te houden want Ilse had alles gezien vanaf haar strandstoel. Ze stond hen met haar handen in haar zij op te wachten.

'Je bent een enorme lomperik, Gert-Jan,' siste Ilse woedend.

'Als je speelt, krijg je wel eens een blauwe plek. Niks aan de hand.' Gert-Jan ging op zijn bedje liggen.

Met een wild gebaar sloeg ze een roze-gele pareo

om haar middel. 'Een blauwe plek is wat anders dan iemand knock-out beuken! Maar we spreken er nog over. Ik ga hier niet midden op het strand een beetje ordinair ruzie staan maken. Kom mee Duco, we gaan wat drinken.'

Op het terras bestelde Ilse een fles rosé. Duco mocht vier kroketten met brood, een halve liter cola en als toetje een Giant-Iceberg ijsje.

In plaats van samen uit eten te gaan in het strandpaviljoen reden ze om vier uur terug naar Amsterdam.

'Je bent gewoon onverantwoordelijk, om zo met je zoon om te gaan,' begon Ilse zodra ze in de auto zaten. 'Hij had een hersenschudding kunnen oplopen.'

Gert-Jan antwoordde niet, maar Duco zag dat hij hard in het stuur kneep; zijn knokkels waren helemaal wit.

'Hoe voel je je Duco?' Ze reikte met een arm naar achteren om zijn voorhoofd te voelen.

'Beetje misselijk, maar...'

'Zie je nou Gert-Jan, dat komt ervan! We rijden straks meteen langs de eerste-hulp.'

Hij dacht eerder dat hij misschien iets te veel ijs had gegeten. Maar als zijn ouders ruzie hadden, hield hij liever zijn mond.

'Ik begrijp je niet. Je wéét toch dat hij niet sportief is...' ging Ilse door.

'Het is zeker wél verantwoordelijk om iemand alleen maar vette troep te eten te geven,' riep Gert-Jan ineens. 'Die jongen weegt verdomme meer dan ik, dát is pas ongezond!'

'Niet vloeken, Gert-Jan! Trouwens, af en toe een snackje, daar word je toch niet dik van?'

'Noem het maar af en toe een snackje. Ik zag vanochtend op de tabel in de badkamer dat hij de laatste weken alleen maar zwaarder aan het worden is!'

'Die arme jongen mag toch nog wel iéts leuks in zijn leven hebben?' Ilse draaide zuchtend haar hoofd weg en staarde naar buiten.

'Nou is het zeker nog míjn schuld ook!' zei Gert-Jan.

Duco zag dat Gert-Jan steeds harder in het stuur kneep. Het was maar goed dat de oude Volvo stevig was gebouwd anders had hij hem vast in tweeën gebroken.

Niemand zei verder nog wat, het leek of de discussie gesloten was. Zo eindigden de ruzies van zijn ouders meestal: in ijzige stilte. In combinatie met het geschommel van de auto werd hij er helemaal slaperig van.

2

Gert-Jan zat in een bruine ochtendjas aan de keukentafel, ongeschoren en met donkere wallen onder zijn ogen. Hij doopte langzaam stukjes brood in een half gepeld zachtgekookt eitje. Duco ging aan het andere eind van de tafel zitten.

'Goedemorgen lieverd! Lekker geslapen?' zei Ilse opgewekt. Zwierig zette ze een beker thee voor hem neer.

'Best wel,' zei Duco. Ilse had haar niets-aan-de-hand-pet weer opgezet. Hij ging haar niet vertellen dat hij in gedachten de hele nacht op de pier had gezeten.

Hij pakte twee witte boterhammen en besmeerde ze met pindakaas. Hij nam een hap en staarde de tuin in. Op het terras scharrelde een mus wat broodkruimels bij elkaar. Hij propte een halve boterham in één keer in zijn mond. Gezellig, zo samen in stilte ontbijten. Hij bleef mooi de hele dag op zijn kamer, eindelijk verder met het online skatepark-project. Ze zochten het maar uit vandaag.

'Ik heb een idee,' riep Ilse plotseling. 'Het Circus van de Maan is in de stad. Zullen we daar vanmiddag naartoe gaan?'

'Krijg je echt geen kaartjes meer voor, zeker niet op zondagmiddag, die zijn al maanden uitverkocht,' mompelde Gert-Jan.

'Ik ga niet mee, ik ga verder met mijn project,' zei Duco.

'Wat zijn we weer positief! Als ik kaartjes kan krijgen, gaan jullie alle twee gewoon mee. Misschien kunnen die lui van het circus een beetje vrolijkheid in jullie koppen stampen, want hier word ik gek van!' Ilse stond op en liep met driftige passen de keuken uit.

Binnen een paar minuten was ze terug. Ze had haar zin: drie last-minutekaartjes voor de matinee.

Mokkend zat Duco op de achterbank van de auto. Hij had helemaal geen zin om weer iets met Ilse en Gert-Jan te gaan doen. Het skateproject ging net zo goed. Hij was bezig een skatepark te bouwen in de Masters Heaven 4U-wereld. Ze deden het met zijn vieren: Mike D uit Engeland, Mahalo uit Hawaï en JJ, een Nederlandse jongen uit Maastricht. Of een meisje, want in MH 4U kon je zijn wie je wilde. Zijn eigen avatar heette The Duke, zestien jaar, lang en slank met donker haar. Op het web wist je nooit wie wie was of zelfs wie wat was. Dat maakte hem niets uit. In het project kon je tenminste normaal praten en werd je niet gepest, zoals op school. En als je werd gepest zette je gewoon een filter op de etterbak.

De witte circustent stond vlak bij de Arena. Het was echt een groot ding. Gert-Jan schatte dat er meer dan tweeduizend mensen in gingen. Voor de tent hing een enorm affiche met een mooie blonde vrouw in een strakke goud-zwarte acrobatenoutfit. CHARANNE stond er in gouden letters; ze hing aan een rood laken en lachte iedereen tegemoet.

De warme lucht in de circustent sloeg Duco in het gezicht. Hij hield zijn adem in, het was net een natte warme deken. Hij deed zijn jas uit. Ze hadden superplaatsen, aan de rand van de piste, zó met hun neus boven op alle acts.

Het begin van de voorstelling was sloom. Een suffe clown had een veel te lange act waar bijna niemand om moest lachen, alleen een paar kleine kinderen vonden het grappig. Duco viel bijna in slaap van verveling en van de warmte.

Ineens schalde er lawaai van galmende bekkens door de tent. Een troep Chinese acrobaten nam stuiterend en springend als een bende wilde apen de piste in bezit. Hij veerde op. Eindelijk actie.

Naast elkaar, met een paar meter ertussen, stonden drie lange koperen palen rechtop in de piste. De acrobaten liepen als chimpansees op handen en voeten. Eerst een aanloop over de grond en vervolgens recht omhoog tegen de paal op. Duco's mond viel open. Alsof er geen zwaartekracht was! Boven in de paal aangekomen, sprongen ze van paal naar paal. Het zag eruit alsof ze boompje-verwisselen aan het spelen waren, maar dan vier meter boven de grond.

Hoogtepunt was een achterwaartse salto, van de ene paal naar de andere. Zonder veiligheidslijn! Als die vent was gevallen had hij op z'n minst zijn rug gebroken. De acrobaat landde veilig aan de andere paal en strekte als het opperhoofd van de chimps zijn arm stoer omhoog. Het publiek klapte het dak van de tent.

Supermensen waren het, die deden alsof zwaartekracht niet bestond. Dat zou hij ook wel willen, vrij als een aap rondslingeren. Hij sloot even zijn ogen en dacht aan zijn spiegelbeeld in de badkamer thuis. Twaalf jaar en over de negentig kilo. Als hij aan zo'n paal ging hangen knakte die meteen in tweeën.

De lichten in de piste gingen uit en hoog in de nok van de tent scheen een schijnwerper op een jonge vrouw. Dat was Charanne. Ze hing aan een lang rood laken dat van de nok tot aan de vloer van de piste reikte.

Een andere schijnwerper lichtte op: boven het orkest verscheen op een klein vlondertje een gedaante met een wit gezicht en een witte cape rond zijn schouders en een stralenkrans om zijn hoofd, gemaakt van lange witte veren. Hij begon iets romantisch, opera-achtigs te zingen.

Charanne bewoog zich op het ritme van de muziek, wikkelde zich als een baby in de stof en liet zich er golvend weer uit rollen; ze maakte koprollen of hing aan één arm of één been eenzaam in de hoogte.

Plotseling stortte ze zich als een bungeejumper uit de nok van het circus naar beneden. Duco hield zijn adem in. Nu ging ze echt crashen. Als een rijpe meloen zou ze op de pistevloer te pletter slaan. Een brancard was niet eens meer nodig; in een grote emmer zouden ze de uit elkaar gespatte artiest afvoeren. Net voor de klap, op tien centimeter van de grond, bleef ze met een stenen glimlach op haar gezicht stilhangen. Met één teen aan het laken hangend. Eén teen! Dat kon natuurlijk alleen maar omdat ze zo licht en lenig was. Als hij zoiets zou proberen scheurde het laken zeker. Of hij was zijn teen kwijt.

Onder het gejuich en applaus liep Charanne buigend een rondje door de piste. Op het moment dat ze Duco passeerde gaf ze hem een knipoog. Hij voelde dat hij rood werd en boog zijn hoofd naar de rand van de piste, waar hij roestige spijkers uit zag steken. Zijn maag voelde net zoals wanneer hij met mama in de auto keihard over de steile bruggen langs de Amstel reed.

Een zware beat beukte de poëtische sfeer de tent uit. Stroboscooplicht knipperde. Duco voelde de bassen in zijn borst dreunen en zijn voeten begonnen vanzelf te wiebelen. Het publiek klapte met de beat mee.

De schijnwerper richtte zich op de ingang van de piste, waaruit een kleine magere jongen, gekleed in een vlammend roze pak, kwam aangerend. Terwijl hij rende hield hij een aantal ballen in de lucht. Lachend bleef hij stilstaan in het midden van de piste. Sneller en sneller liet hij de ballen rondgaan, en hij zweepte het publiek op door met zijn rechterbeen op de grond te stampen. Duco zat op het puntje van zijn stoel. Die jongen was net zo oud als hij en stond gewoon in het circus!

De jongen voegde steeds meer ballen toe aan zijn act. Wat had hij een snelle handen. Je zag eigenlijk alleen maar twee witte vage vlekken heen en weer gaan en uit die wolk van handen steeg een stroom van balletjes op.

Van het volgende deel van de act, iets met kegels, zag Duco nog niet de helft. Hij staarde alleen maar naar het gezicht van de jongen. Die had bij hem in de brugklas kunnen zitten. Het had zijn vriend kunnen zijn. Hij zou zo met hem willen ruilen. Dan was hij vast populair op school. In ieder geval zouden etters als Brian en zijn zogenaamde vrienden hem met rust laten...

De muziek stopte. Het publiek begon te klappen en Duco klapte mee, zo hard dat zijn handen ervan gingen gloeien.

Hij schrok van de hand op zijn rechterknie en keek opzij naar Ilse, die hem lachend aankeek. Aan de andere kant zat Gert-Jan met grote ogen enthousiast mee te klappen.

Duco stopte met klappen en bestudeerde zijn eigen handen. Hij bewoog zijn dikkige vingers heen en weer. Zouden die ooit zo snel kunnen bewegen als die van... Hoe heette dat jochie eigenlijk? *Pavel, de ster uit Tsjechië*, stond in het programmablad. Grappige naam. Hoe werd je eigenlijk jongleur? Wat moest je daarvoor kunnen? Die Pavel was klein en snel, maar je kon natuurlijk ook langzamere dingen doen. Wat zou het geweldig zijn als hij zoiets zou kunnen; even vijf, zes, zeven balletjes hoog houden. Dan hoefde hij zeker niet meer naar school natuurlijk, want dan verdiende hij zijn eigen geld...

Luid applaus klaterde door de tent, de show was afgelopen. Verdwaasd keek hij om zich heen. Hij had van de laatste acts niets gezien of gehoord. Hij zat alleen maar over die Pavel te dromen. Hij begon mee te klappen met het publiek. Alle artiesten kwamen nog een keer langs om afscheid te nemen. Pavel liep ook mee in de optocht en zwaaide met beide armen naar het publiek. Duco stond op en zwaaide fanatiek terug.

Na de voorstelling liepen ze met de mensenmassa mee naar buiten. Duco snoof de koele avondlucht op. Hij ving een vage geur op van vers gebakken brood, de zomer kwam eraan.

'Dat was toch heel erg leuk, Duco?' zei zijn moeder terwijl ze haar vestje om haar schouders trok.

'Erg leuk!' riep Gert-Jan. 'Dit was een supershow! Goeie actie Ilse, die last-minutekaartjes.' Hij sloeg een arm om haar schouders.

Gert-Jan die iets leuk vond zonder aanmerkingen of iemand af te zeiken? Dat was speciaal.

'Zag je wat die Chinese acrobaten deden, Duco?' Gert-Jan draaide zich om. 'Ik dacht echt dat ze aan een kabel zaten, maar ze deden het gewoon los. Wat een atleten!'

'Vond jij het ook leuk, Duco?' vroeg Ilse weer.

'Best wel,' mompelde Duco. Hij kon zichzelf wel slaan. Hij wilde zo graag iets anders zeggen dan 'best wel' als hij iets heel leuk vond. Maar hij wist niks te verzinnen.

'Best wel? Weet je wel wat die kaartjes hebben gekost?' vroeg Gert-Jan.

Duco haalde zijn schouders op. Dat was weer typisch de boekhouder in zijn vader die sprak. Hadden ze net een supershow gezien, begon hij over geld.

'Maar dat is vandaag niet belangrijk,' zei Gert-Jan. Hij spreidde zijn armen en draaide een rondje onder het lopen. 'Wat een show. Ik kreeg gewoon de kriebels in mijn benen van al die energie. Het voelt alsof ik zelf een finale heb gespeeld.'

'Ik dacht af en toe ook dat ik zelf meedeed,' zei Duco. 'Zoals die jongleeract met die supersnelle ballen. Die jongen was net zo oud als ik.'

'Topatleten, één brok talent en lichamen als van een raspaard,' denderde Gert-Jan door alsof hij Duco niet gehoord had. 'Weet je wel dat die gasten zich iedere dag helemaal suf trainen, jarenlang achter elkaar?'

Duco zag het al voor zich. Groepjes artiesten die iedere dag mochten trainen. Geen school. Ze deden trapeze of acrobatiek of iets anders. En hij stond in een hoekje alleen met die super-flitsballetjes.

'Zullen we nog wat gaan drinken?' stelde Ilse voor.

'Goed idee,' riep Gert-Jan.

Ze zochten een plaatsje op het terras van het hotel op het Leidseplein. Onder de blauw-witte parasols verdreven straalkachels op glimmende palen de kilte van de avond. De ober stond binnen een minuut bij hun tafeltje met zijn elektronische bestelapparaat in de aanslag.

'Wat mag ik jullie inschenken,' zei hij met een beleefde glimlach.

'Doe mij maar een wodka met ijs,' zei Ilse. 'Duco een colaatje?'

Hij knikte.

'Ik een spa rood,' zei Gert-Jan.

'Mag ik ook nog iets te eten, ik heb honger,' zei Duco. 'Wat kaas of zo, alstublieft.'

'Eén portie kaas, staat genoteerd,' zei de ober.

'Nou, gezellig hoor, Gert-Jan,' zei Ilse, 'zitten we een keer op een terras, drink je water.'

'Serieuze atleten drinken niet.'

'Alsof je daar anders rekening mee houdt. Je bent toch geen atleet meer? Je hebt morgen toch geen belangrijke zaken te doen op kantoor? Alleen een beetje met cijfertjes stoeien.'

'Die atleten van het circus drinken ook niet,' zei Gert-Jan. 'Alleen met discipline, energie en focus kan ik op kantoor nog promotie maken.'

Ilse begon te lachen. 'Hoor je dat, Duco? Daar hebben we onze sportfanaat weer. Joh, jij bent gewoon te oud om carrière te maken. Al roep je honderd keer discipline, energie en focus achter elkaar.' Meewarig kijkend leunde ze achterover in haar rieten stoeltje.

'Ik ga bewijzen dat ik het tóch kan, ondanks mijn leeftijd,' zei Gert-Jan. 'Karakter wint altijd.'

Duco keek om zich heen. Bij de fontein was een straatartiest bezig publiek te werven voor zijn vuurspuwact. Met zwetend bovenlijf en op blote voeten stond hij naar de voorbijgangers te schreeuwen. Het was een zielig gezicht, want behalve een zwerver in een lange zwarte gescheurde jas bleef er niemand stilstaan. De vuurspuwer nam een slok uit een fles, tuitte zijn lippen, hield een fakkeltje voor zijn mond en spuwde alles met kracht uit. Een metershoge steekvlam ontbrandde vlak voor zijn gezicht. Duco voelde de gloed van het vuur en rook de geur van verbrande olie die over het plein walmde.

Ilse staarde dromerig naar de vuurspuwer. 'Lijkt me best romantisch, leven als artiest. Een beetje zwerven van stad naar stad, van dorp naar dorp en dan word je...'

'Ik ben misschien te fanatiek,' onderbrak Gert-Jan haar, 'maar jij bent veel te romantisch. Die vuurspuwer heeft ook geen discipline gehad. Anders zat hij nu wel bij de top in het circus. Moet je ruiken, wat een stank! Hij maakt de echte artiesten te schande.'

De ober kwam met de drankjes en de kaas.

Duco nam een slok cola en propte twee kaasblokjes tegelijk in zijn mond. Hoe besliste je of je artiest wilde worden? Zoals die Pavel. Zouden zijn ouders het goed hebben gevonden? Zou jongleren met die balletjes moeilijk zijn? Stel dat hij ook ging oefenen...

Hij zakte moedeloos onderuit in zijn stoel. De gedachte alleen al! Hij had nog nooit iets aan sport gedaan, daar was hij ook veel te zwaar voor. In het circus had hij ook alleen maar slanke mensen gezien. Het leek een onbereikbare droom. Maar toch...

Gert-Jan was wel heel enthousiast geweest. Als hij ooit met een act in het circus zou staan, zou zijn vader dan komen kijken? Zou hij dan net zo enthousiast voor hem klappen als voor Pavel? Een keer echt trots op hem zijn? In hoeveel tijd zou je een act kunnen leren? Hij kon toch gewoon heel stiekem in zijn eentje op zijn kamer gaan oefenen? Niemand hoefde het te weten...

3

’s Avonds in bed had hij nog tot laat liggen nadenken over zijn plan. Als... als hij nou eens... Heel misschien... Hij durfde er eigenlijk niet aan te denken. Toch had hij, vlak voordat hij in slaap viel, besloten om het te gaan proberen. Hij deed gewoon zijn kamer op slot. In ieder geval ging hij morgen meteen naar de speelgoedwinkel om jongleerballetjes te kopen. Want zonder ballen geen act.

Hij werd wakker voordat zijn wekkerradio begon te spelen. Hij had raar gedroomd. Dat hij in een circus stond, midden in de piste, en dat het publiek klapte terwijl hij daar alleen stond. Hij moest een jongleeract doen, maar hij had geen ballen. Hij kon niks doen, en toch klapte het publiek. Het zweet brak hem uit. Stel je voor, zo’n afgang voor een duizendkoppig publiek.

Douchen dan maar. Hij kwam moeizaam zijn bed uit en slofte in zijn blootje naar de badkamer. In de spiegel inspecteerde hij zijn gezicht en drukte met zijn wijsvingers een puistje uit. Gelukkig had hij er niet zoveel. Zijn blonde krulharen stonden rechtop. Hij trok eraan, maakte er een afro-coup van. Hij bewoog zijn bruine ogen naar elkaar. Er verschenen dikke rimpels in zijn voorhoofd. Hij trok zijn neus met één vinger omhoog, alsof hij een gorilla was.

Op weg naar de douche ging hij op de weegschaal staan. Vijfennegentig komma drie kilo. Waarom woog hij zich eigenlijk iedere dag? Hij werd alleen maar zwaarder. Hij zette een streepje bij het vijfennegentig-kilo-hokje op de tabel die op de muur boven de weegschaal was geplakt. Gert-Jan had de tabel daar na een ruzie met Ilse een paar maanden geleden opgehangen. Hij was weer eens vreselijk boos geworden dat zij Duco zo vaak snoep gaf, dat hij niet sportte, dat hij meer fruit moest eten... 'Vanaf nu ga je afvallen, straks krijg je op je twintigste nog een hartaanval!' had hij geroepen.

Op de horizontale as van de grafiek stonden de dagen en op de verticale as stonden de kilo's van boven naar beneden, van honderdtien tot tachtig kilo. Vanaf de start van de tabel liep zijn grafiek schuin omhoog. Gert-Jan kraste ook iedere dag zijn gewicht op de tabel, maar zijn gewicht was een vlakke lijn. Die woog al tijden vijfentachtig kilo. Maar hij trainde dan ook vier keer per week in de sportschool. Dat deed hij al sinds hij was gestopt met American football. Vier keer per week trainen! Bij de gedachte alleen al werd hij moe. Mama hoefde niets te doen aan haar gewicht. Die was zo mooi en zo licht dat ze gewoon omwaaide als het hard stormde.

Duco douchte snel en kleedde zich aan. Hij had geen zin om na te denken over zijn kleren voor die dag en trok hetzelfde aan als gisteren.

'Goedemorgen lieverd,' begroette Ilse hem vrolijk in de keuken. 'Heb je lekker geslapen?'

'Best wel hoor,' zei Duco.

Gert-Jan zat al aan de keukentafel, met zijn stropdas nog los om de boord van zijn overhemd. Hij kauwde zwijgend op een boterham en slurpte af en toe van zijn thee.

Duco pakte vier witte boterhammen en besmeerde ze met chocoladepasta.

Gert-Jan zette met een klap zijn theekop op de tafel, zodat de spetters over het blad vlogen.

'Zijn we aan het studeren voor stukadoor of zo? Begin in ieder geval met iets gezonds. Een appel, of een bruine boterham.'

Duco staarde moedeloos voor zich uit. De sfeer was als vanouds, het circus alweer vergeten. Hij klapte de boterhammen op elkaar en propte in één keer een halve boterham in zijn mond.

'Gert-Jan, laat die jongen nou! Het is nog vroeg. Hij moet toch wát eten?'

'Trouwens, heb je je huiswerk gemaakt?' vroeg Gert-Jan.

'Een beetje,' zei Duco.

'Een beetje? Hoezo een beetje?' Gert-Jan strikte met driftige gebaren zijn stropdas.

'Ik had minder tijd dan normaal. Ik moest toch mee naar het circus van jullie?'

'Dat is nog geen reden om je huiswerk niet te doen...' zei Gert-Jan.

'Ga lekker naar kantoor, je collega's pesten,' onderbrak Ilse hem. Ze pakte in één beweging zijn bord en theekop van tafel.

'Nou, op kantoor doen wij als topaccountants ons werk ten minste wél met discipline, energie en focus,' zei Gert-Jan. 'En dat kan ik niet van iedereen hier zeggen!' Hij stond op en liep de keuken uit.

'Sinds wanneer is het invullen van belastingformulieren accountantswerk?' riep Ilse hem na. Ze glimlachte naar Duco. 'Even plagen hoor. Ik word soms een beetje simpel van die woordjes. Ik bedoel, een volwassen vent die steeds maar dezelfde woorden herhaalt...'

'...is een beetje een nerd,' vulde Duco aan.

'Precies, dat zeg ik!' riep Ilse. 'Hier, vangen!' Ze gooide zijn lunchtrommeltje door de keuken. 'Voor vanmiddag. Eet je brood onderweg maar op.' Duco ving het trommeltje met één hand en legde het op tafel.

In de hal trokken ze hun jassen aan. Voor het huis gaf Ilse Duco een kus. 'Tot vanavond,' zei ze, 'ik ga weer lekker beugeltjes in die lieve kinderbekkies schroeven.' Ze gooide haar bruine krokodillenleren tas over haar schouders.

'Dag mam,' zei Duco. Hij keek zijn moeder na. Ilse liep met snelle passen de straat uit. Haar blonde staart hopte op en neer op de achterkant van haar zwarte mantel. Grappig, dacht hij, meestal zag ze er heel chic uit, met die dure brillen en sieraden, maar zo van achteren leek ze wel een meisje. Gelukkig had hij haar nog. Anders had hij allang ergens asiel aangevraagd.

Bij de bushalte werkte hij zijn boterhammen in een paar happen naar binnen. De bus was er binnen een paar minuten. Op de brede achterbank oefende hij nog snel de Franse woordjes die ze als huiswerk hadden opgekregen. Hij kende ze al, maar een beetje extra oefenen kon geen kwaad. Iedereen sprak tegenwoordig Engels. Frans was veel leuker.

'Hé, daar hebben we onze RGB weer!' schalde het door de bus. Brian, de grootste etter van de klas, samen met zijn schaduw Ivar. Ze hadden kennelijk een vroegere bus genomen dan anders.

'Hé, Gummi Beer, zeggen we geen gedag meer?' Duco haatte die bijnaam, RGB: Roze Gummi Beer. Soms leek het of bijna niemand zijn echte naam kende. Bijna iedereen in de klas noemde hem RGB of, nog veel erger, kortweg Gummi. Brian ging met een plof naast hem zitten.

'Zit je huiswerk te maken in de bus? Uitslover!' Brian trok het boek uit zijn handen. 'Frans,' lachte hij keihard, 'je wilt je zeker inslijmen bij die homo van Frans. Ik wist wel dat je een mietje was.' Hij gooide het boek door de bus naar voren en liet zich op de bank onderuitzakken. Ivar rende achter het boek aan en gaf er nog een schop tegen zodat het verder naar voren vloog, bijna tot naast de buschauffeur.

Ineens stopte de bus midden op de weg. Ivar viel bijna om door het harde remmen. De achterste deur ging sissend open. De chauffeur kwam overeind en klapte het deurtje naast zijn stoel open. Even bleef hij wijdbeens in het gangpad staan om zijn broek op te hijsen. Toen liep hij met grote passen naar achteren en pakte Ivar bij zijn arm.

'Opgedonderd! Mijn bus uit en snel een beetje. Ik

duld geen terreur in mijn bus.' Hij duwde Ivar de bus uit. 'En jij ook!' Hij wees naar Brian.

'Wat, ik deed niks!'

'Nee, dat zeggen jullie allemaal. Ik heb alles gezien op mijn monitor, ventje.' De chauffeur wees naar een camera aan het plafond van de bus. Hij trok Brian aan zijn arm de achterbank af. 'En nou eruit, anders loop ik uit mijn schema.'

Brian stond op. 'Blijf met je poten van me af, man. Anders doe ik aangifte wegens zinloos geweld. Je bent hartstikke blind!' gilde hij.

De chauffeur duwde Brian hardhandig de bus uit. Brian viel bijna van de laatste trede af en struikelde de straat op. Hij draaide zich om.

'Ik krijg jullie nog wel, alle twee!'

De chauffeur haalde zijn schouders op. 'Kan me niet schelen wat je doet, maar niet in mijn bus!' Hij liep alweer naar voren en ging zitten. De achterdeur ging zacht sissend dicht en de bus reed verder.

Duco zag door de achterruit Brian en Ivar kleiner worden. Wat een afgang. 's Ochtends om acht uur uit de bus gezet worden en het hele eind naar school moeten lopen. Ze kwamen nu geen bus meer in. Die aardige chauffeur meldde het vast aan de centrale.

Net goed voor die etters. Het liefst had Duco ze vastgebonden en aan een touw achter de bus de hele weg naar school gesleurd. Dan moesten ze minstens een paar weken in het ziekenhuis liggen om te herstellen van hun schaafwonden. Het zou een stuk rustiger zijn op school. Tegelijk voelde hij angst opborrelen in zijn benen. Brian en Ivar gingen zeker wraak nemen voor deze afgang.

Gelukkig was het verder een gewone schooldag. De Franse toets ging heel goed en het uur Nederlands was zo voorbij. Brian en Ivar waren nergens te bekennen. Ze waren vast aan het spijbelen.

Duco wist halverwege de weg naar huis een speelgoedwinkel waar hij jongleerballen wilde kopen. Er was niet veel keus. In een hoek lagen wat diabolo's, hoepels, en er stond een doos met gekleurde jongleerballen. Hij pakte twee rood-gele balletjes uit de bak. Hij liet ze door zijn handen glijden en kneep er flink in. Het voelde zacht en stevig tegelijk; compact noemde je dat. Ze waren gevuld met korreltjes en voelden zwaarder dan je zou denken. Het zachte plastic buitenlaagje kleefde een beetje aan zijn handen.

Duco gooide een balletje in de lucht en ving het soepel weer op. Hij voelde de haren in zijn nek kriebelen. Het leek net alsof het balletje graag naar zijn hand toe kwam; alsof het vrienden wilde worden. Hij gooide nog een keer een bal omhoog. Ze kostten een euro per stuk. Hij nam er meteen vijf, dan had hij reserve als er een stukging.

Thuis gooide hij de balletjes op de keukentafel.

'Kijk mam, net gekocht. Ik ga jongleren, net als die Pavel.'

'Leuk,' zei Ilse, 'wat een goed idee.'

Duco knikte en begon met een balletje te spelen. Hij gooide het omhoog en liet het op de tafel landen. Met een plofje kwam het neer. Ilse zette een glas cola en een koek voor hem neer. Hij nam een slok en twee grote happen.

'Mag ik?' vroeg Ilse terwijl ze drie balletjes oppakte en ging staan. 'Kijk, zo speelden wij vroeger met dit soort balletjes.' Ze gooide alle drie de balletjes in de lucht en probeerde ze daar te houden door heel snel over te pakken. Na twee tellen lagen ze op de vloer. 'Nou ja, ik kón het met drie,' zei ze opgewekt. 'Dan maar eens proberen met twee.'

Dat ging nauwelijks beter. Duco sloeg zich op zijn dijen van het lachen om de pogingen van zijn moeder. Zij zou in ieder geval nooit het circus halen.

Ze gaf hem de balletjes. 'Kan jij het beter? Laat maar eens zien wat je kan.'

'Oké dan,' zei Duco. Hij propte de rest van de koek in zijn mond, pakte twee balletjes op en gooide ze omhoog. Met één oog op zijn moeder en het andere op de balletjes deed hij na wat Ilse had gedaan. Het was niet eens echt lastig.

Ilse klapte in haar handen. 'Jee, wat kan je dat goed!'

Duco staarde naar zijn handen, die gewoon twee balletjes in de lucht hielden! Dit was kicken! Ineens flitsten de beelden van het circus weer voorbij; die kleine Pavel met zijn snelle handen. Hij had gedacht dat het veel moeilijker zou zijn. Hij ving de balletjes op en legde ze weer op de tafel.

'Ga je niet door? Het gaat juist zo goed.'

'Eerst even wat eten, ik heb honger.' Duco smeerde in een paar tellen vier boterhammen met chocopasta en pindakaas.

Met het bord in zijn ene hand en het zakje met ballen in de andere liep hij de trap op naar zijn kamer. Hij zette het bord en de balletjes op zijn bureautje. Gelukkig zat hij op zolder. In het midden van zijn kamer was het hoog genoeg voor de hoogste ballen. Hij schoof zijn bed aan de kant.

Hij pakte een bal van tafel en liet hem in zijn hand rollen. Voelde lekker, zo'n balletje. Koel plastic. Hij gooide het balletje recht omhoog. Het landde met een klets in zijn hand. Hij gooide de bal weer op. Wat zou erin zitten? Rijst, of iets anders korreligs. Het waren net droge nasiballen. Voor een act in een Chinese keuken.

Duco gooide de bal weer op. Hij zag het voor zich. Een Chinese chef die met nasiballen jongleerde. Hij glimlachte en pakte een tweede balletje op. Een voor een gooide hij ze omhoog. Zo snel dat er steeds een vrij in de lucht zweefde en het andere zich een ogenblik in een van zijn handen bevond. Zou een chef dat ook kunnen doen met pannen? Of met pekingeenden, of met komkommers?

Hij verhoogde het tempo en verlaagde het weer. Hij gooide de ballen laag op en hoog. Met de ballen in de lucht liep hij een rondje door de kamer.

Met twee was een beetje saai. Hij pakte een derde balletje erbij. Dat was een stuk moeilijker. Met zijn tong uit zijn mond oefende hij verder. Hij kreeg het er zelfs warm van.

'Ben je lekker aan het spelen, lieverd?' Ilse zette een kopje thee neer op het bureau. Duco had niet gemerkt dat ze was binnengekomen.

'Als je zo doorgaat kan je misschien op school optreden.'

Van schrik liet hij de balletjes vallen. Optreden op school! Een Gummi Beer met balletjes? Ze zouden niet meer bijkomen van het lachen. Over honderd jaar misschien. Hij moest eerst supergoed worden en het dan aan Gert-Jan laten zien. En wie weet over tweehonderd jaar een keer op school.

'We zien wel,' bromde hij.

Hij ging door met oefenen. Wat had Pavel uit het circus ook alweer gedaan? Iets met achterlangs. Hij gooide met zijn rechterhand het balletje over zijn hoofd en ving het achterlangs op met zijn linkerhand. Het tweede volgde en dat ging mis. Het derde viel ook op de grond. Dit was een stuk moeilijker dan recht op en neer. Hij probeerde het weer opnieuw.

In hem zat een klein mannetje dat hem aanspoorde. Het was geen onvriendelijk mannetje, maar wel een drammertje: 'Kom op, laten gaan die ballen! Sneller! Harder! Hoger! Verder! Schuiner! Bovenlangs! En nu onderlangs!'

Duco was verbaasd toen Ilse hem riep voor het avondeten. Hij was toch pas een uurtje bezig? Hij voelde zich super, alsof hij net nieuwe gympies had gekocht. Die gaven ook zo'n licht en verend gevoel, een beetje zwevend. Hij nam het kopje en het bord met de boterhammen mee naar beneden.

In de weken die volgden ging Duco iedere dag naar school omdat hij nou eenmaal moest, maar 's avonds vergat hij bijna dat hij overdag op school had gezeten. Ieder vrij moment was hij aan het jongleren op zijn kamer. Het was net alsof hij een superspannend computerspel zat te spelen: dan wist hij ook niet hoe laat het was en vloog de tijd om. Alleen was dit nog heftiger, een koortsige droomtoestand.

Hij was vroeger een keer ziek geweest en had dagenlang met hoge koorts in bed gelegen. De ene keer als hij wakker werd bleek hij tien minuten te hebben geslapen terwijl hij dacht dat het wel een week was. De andere keer voelde het alsof hij even was weggedommeld, maar was er een dag voorbij.

Nu was hij niet ziek. Integendeel, er stroomden roze, tintelende, warme golfjes door zijn lijf. Dezelfde golfjes die hij voelde als hij in bed lag te wachten op de ochtend van zijn verjaardag, vlak voordat hij zijn cadeautjes kreeg.

’s Avonds vlak voordat hij ging slapen surfte hij eventjes naar zijn pas ontdekte website met de topjongleurs van de wereld. Daar vond je downloads van de mooiste acts en interviews met jongleurs.

Ze gaven ook tips over wat je zelf moest doen om jongleur te worden en hoe je de beste kon worden. De Beste worden, het klonk zo makkelijk: ‘Verzin een goede naam,’ zei een Engelse jongleur, ‘wees creatief en treed veel op. En verder is het oefenen, oefenen en nog eens oefenen.’

Dromerig staarde Duco voor zich uit. Hij zag zichzelf al in een circus of ergens bij een grote show in Las Vegas. Het mannetje in zijn hoofd riep nu al dagenlang: ‘Ik wil de beste worden. Ik wil de beste worden’. Dat drammerige mannetje wakkerde het vuurtje aan, dat hij nu vooral in zijn handen voelde gloeien. Zou het normaal zijn om zoiets te willen? Was het niet een beetje overdreven?

Op de site van het Circus van de Maan stond gewoon een lijst met de vacatures die ze hadden voor hun voorstellingen. Net als de vacaturesite van de supermarkt of het uitzendbureau. Zo wist je precies wat ze zochten in een juggling- of jongleeract en wat je daarvoor moest kunnen:

WAAR ZIJN WE NAAR OP ZOEK:

* *Perfecte jongleertechniek.*

Wat was perfect? Zo goed als die Pavel uit het circus? Of mocht het wat minder?

* *Esthetisch aangenaam, innovatief en hoog tempo.*

Esthetisch, dat moest hij even opzoeken. Het betekende 'smaakvol, mooi om te zien'. Hoe kwam je daar nou achter? Was het alleen de act of sloeg het ook op de artiest, want met zo'n lijf als het zijne kon hij beter acuut stoppen. Snel was hij voor zijn gevoel wel. Toch een pluspuntje.

* *Jongleren in de ruimte of prop juggling, waarbij je gebruik kan maken van de meest geweldige bewegingen en aankledingen van de piste.*

Props dat waren jongleerspullen, dat was makkelijk. Maar wat bedoelden ze nou met die ruimte? Dat je de hele piste mocht gebruiken? Dat was toch logisch, je gaat niet ergens in een hoekje staan ballen.

* *Ballen, ballonnen, touwtjes, kettingen, messen, hoeden... je weet dat alles mogelijk is.*

Ja, dat was een goeie. Hij was alleen met die balletjes bezig. Hij moest meer props hebben, om variatie aan te brengen. Die kon je vast ergens kopen.

* *We hebben solo jongleeracts in de drie shows: Arabatica, Bollerioso en Merandante.*

Dat laatste was mooi. Kennelijk was er genoeg plaats voor jongleurs. Maar ze zaten vast niet speciaal op hem te wachten. Het ging nog jaren duren voordat hij goed genoeg zou zijn voor zo'n circus.

4

In een hoekje van het schoolplein stond hij een broodje met gebakken ei te eten. Brian en Ivar liepen met veel lawaai het schoolplein op. Die waren weer eens veel te laat, er waren al twee lesuren voorbij. Halverwege het schoolplein zag Brian hem staan.

'Jij,' riep hij. Hij wees naar hem en maakte een hals-afsnij-gebaar bij zijn keel. 'Ik ben het niet vergeten! Jij bent van mij, Gummi. Ieder moment kan ik je pakken!' Hij rende door naar zijn vrienden.

Brian liep al weken te dreigen, maar gelukkig had hij het tot nu toe bij woorden gelaten. Duco haalde zijn schouders op; hij was niet echt bang dat Brian hem iets ging aandoen. Hij was twee keer groter dan die pestkop.

Dat was het enige voordeel van zijn grote maat. Niemand durfde hem te slaan, maar verder waren ze niet bang voor de Roze Gummi Beer. Als kakkerlakken schoten ze vaak op hem af, om na een rotopmerking weer heel snel weg te rennen. Wat kon je daar nou tegen doen? De school had een antipestbeleid, maar de leraren zagen nog niet de helft van wat er gebeurde. Thuis had hij een keer geprobeerd het te vertellen. Maar Gert-Jan had hem gewoon uitgelachen.

'Je moet voor jezelf opkomen,' had hij geroepen. 'Klikken is voor watjes!'

Duco fantaseerde dat hij zo'n pestkop na school opwachtte en hem dan op zijn gezicht timmerde. Dán zouden ze hem respecteren. Maar hij durfde het niet en wist ook niet goed hoe het moest. Hij had nog nooit gevochten.

De schoolbel zoemde hard in zijn oren. Hij stopte de laatste hap van zijn boterham in zijn mond en liep naar de klas.

'Ik zie dat de klas weer compleet is?' Felix, de natuurkundeleraar, keek naar de presentielijst in het klassenboek.

Met een sarcastische glimlach keek hij naar Brian en Ivar. 'En heren, waar hebben wij deze keer de ochtend doorgebracht? Belangrijke ontbijtafspraak in het Hilton hotel misschien?'

De klas lachte.

'In ieder geval belangrijker dan wiskunde en Nederlands, begrijp ik?'

'Nee meneer,' zei Brian, 'ik moest met Ivar mee naar de tandarts. Zijn moeder kon niet en hij is bang voor de tandarts.'

De klas lachte nog harder.

'Ah, je hebt vandaag een goede daad verricht. Wat mooi, en zo onverwacht,' zei Felix met een grijns op zijn rimpelige gezicht. 'Nou, dan zal je moeder in een briefje vast wel willen bevestigen dat ze zo'n geweldige zoon heeft. En van jouw moeder krijg ik een briefje dat je naar de tandarts moest, Ivar. Morgen inleveren.'

'Geen probleem meneer,' zei Brian. Ivar staarde naar de grond.

'Zo, en dan gaan we nu verder met de les,' zei Felix en schreef een formule op het bord.

Brian keek naar Duco en maakte weer dat gebaar. Duco deed maar net of hij het niet zag. Brian had een geheugen als van een olifant. Het zou nog wel even duren voordat hij het busincident was vergeten.

Iedereen stormde tegelijk de trappen af naar de kantine.

Duco liep langzaam aan de zijkant van de trap en liet de meeste kinderen voorgaan. Plotseling kreeg hij een harde duw in zijn rug. Hij verloor zijn evenwicht en viel voorover, tegen de kinderen die voor hem liepen.

'Hé idioten, uitkijken!' gilde een jongen.

'Wat doe je nou!' schreeuwde een meisje.

Een kluwen van vier, vijf, zes kinderen rolde de trap af. Duco kreeg een zware boekentas tegen zijn hoofd en landde onder aan de trap boven op twee grote jongens uit de derde klas.

'Eikel!' Een van de jongens die onder lag gaf hem een klap op zijn hoofd

'Ga van me af vetso, je plet me helemaal!' riep de andere jongen.

Een meisje gilde het uit. 'Au, mijn enkel!'

Duco lag met zijn neus pal boven de schoenzool van iemand. Die stonk naar hondendrollen. Snel tilde hij zijn hoofd op.

Boven aan de trap stonden Brian en Ivar met hun

armen over elkaar te lachen.

'Ja, dat is nog eens wat anders dan die drie treden van de bus,' zei Brian. 'Pijn gedaan? Zielig hoor.'

Ze liepen naast elkaar, dreigend langzaam, de trap af. Een aantal kinderen, die nog op de trap stonden, maakten zich snel uit de voeten. Duco probeerde op te staan en weg te lopen.

'Kom maar, we helpen je wel even,' zei Brian. Hij pakte Duco bij zijn arm; Ivar pakte zijn andere arm.

Duco zette zich schrap. Wat moesten die jongens nou van hem?

'Kom op Gummi, meelopen!' zei Brian. Zijn ogen stonden kwaadaardig.

Duco probeerde de trekkracht van de twee te weerstaan, maar zijn voeten gleden langzaam weg. Ze duwden hem ruw de jongens-wc in. Ivar deed de deur achter zich dicht en ging ervoor staan, met zijn armen over elkaar.

Brian gaf Duco een harde duw in zijn rug zodat hij tegen een urinoir aanviel, dat tot de rand volstond met oude gele pis. Getver, wat een stank. Hij probeerde wat oppervlakkiger te ademen om de vieze pislucht minder te ruiken.

'Zo, eindelijk alleen met onze Roze Gummi Beer. Nu is er geen buschauffeurtje om je te redden. Je bent voor mij alleen!' zei Brian met schelle stem.

Duco staarde naar de grond. Die jongen keek te veel gangsterfilms. Wat wilde hij nou eigenlijk?

'Ik heb die chauffeur toch niet geroepen? Die man kwam toch uit zichzelf?' zei hij.

'Echt niet! Door jouw schuld ben ik gepakt!' gilde

Brian. 'Jij zat expres recht voor de bewakingscamera. Je moet gestraft worden.'

'Wil je een excuus? Of mijn respect?' zei Duco. Iedereen wilde tegenwoordig respect, vooral types als Brian. 'Oké, mijn excuus omdat je de bus uit bent gegooid. Zo goed?' zei Duco.

'Neem me niet in de maling, vet zwijn!' siste Brian. 'Zo gemakkelijk kom je er niet van af. Bloedwraak, dat is wat ik wil!'

Bloedwraak? Dat was toch zoiets als broers die voor de familie-eer opkwamen als hun zus seks had gehad met een man voordat ze getrouwd was? Hij wist niet eens of Brian een zus had. Hij wilde weglopen. Nu had die onzin lang genoeg geduurd.

'Staan blijven Gummi, we zijn nog lang niet klaar!' Brian greep Duco met zijn linkerhand vast en stak zijn andere hand uit naar Ivar. Ivar haalde een voorwerp uit zijn jack en gaf dat aan Brian.

Duco hoorde een metalen klik. Een stiletto! Zijn ballen trokken zich van angst terug in zijn buik en zijn onderrug tintelde, alsof hij midden op zee in zijn blootje aan het zwemmen was en ineens de vin van een witte haai op zich af zag komen.

Brian hield het mes vlak voor Duco's gezicht.

'Zo, nu piep je zeker wel anders met je grote lijf?' Brian lachte. 'Goh, ik zie al meteen zweet op je voorhoofd. Bang? Hoeft niet, hoor.'

Duco's hart bonsde in zijn keel. Straks ging hij hem steken. Hoe ging hij zich hieruit redden?

'Doe normaal, man. Dat is gevaarlijk,' fluisterde Duco.

Brian maakte een paar wilde snij- en steekbewegingen in de lucht.

'Ach, wat is gevaarlijk. Het ligt er maar aan wie het mes vastheeft.' Brian zweeg even en keek om zich heen. 'Weet je, het is toch pauze en in de pauze smaakt niets zo goed als een lekker bekertje verse... Zeik! Ivar, geef me een bekertje. Actie!'

'Yes! Goed idee,' riep Ivar. Hij liep naar de wasbakken, trok een papieren bekertje uit de buis tegen de muur en liep ermee naar de pisbak naast Duco. Terwijl hij het bekertje met twee vingers bij de rand vasthield, dompelde hij het in de bak en hield het omhoog.

'Opdrinken!' zei Ivar, die van opwinding zijn handen niet stil kon houden. Hij liet het bekertje bijna uit zijn handen vallen. Een golfje pis spetterde op de vloer.

'Kijk nou uit, man,' riep Brian. 'Probeer je spastische lijf eens een keer in bedwang te houden!'

Duco sloot zijn ogen. Hij voelde zich misselijk worden. Toen hij zijn ogen weer opendeed, schitterde het mes van Brian nog steeds op tien centimeter van zijn neus.

Ineens ging de deur open. Ebo, een jongen uit de andere brugklas, stoof binnen. Hij was gered! Met een getuige erbij ging Brian niets doen.

'Oprotten!' gilde Brian. 'Wij zijn hier bezig!'

Ebo bleef abrupt staan in het midden van de wcruimte, keek met grote ogen naar de jongens bij de urinoirs en rende zonder iets te zeggen het toilet uit.

Duco wilde om hulp schreeuwen, maar zijn stem

weigerde dienst. Waar ging Ebo nou heen? Waarom hielp hij hem niet? Zijn enige kans op hulp was verkeken.

'Waar waren we gebleven?' zei Brian. 'O ja, een glaasje fris moest er nog gedronken worden.' Ivar hield het bekertje weer omhoog.

'Echt niet,' fluisterde Duco.

'Je mag kiezen, vuil vet zwijn dat je bent,' siste Brian. 'Drinken of dit!' Duco voelde hoe het puntje van het mes zijn neus raakte.

Hij sidderde. Was hij maar Bruce Lee, of een andere kungfu-expert. Die pakte in een flits iemands wapen af.

'Shit!' gilde Ivar ineens. Duco keek schuin opzij. Het bekertje zeik was nu echt uit Ivars vingers gefloept en op de grond gevallen.

'Shit man, over mijn schoenen, gadverdamme!' schreeuwde Brian. Hij liet het mes zakken.

Dít was zijn kans. Duco greep met beide handen de pols van Brian beet. Die trok zijn arm terug, maar Duco hield met al zijn kracht vast. Hij duwde het mes van zich af. Weg, zover mogelijk! Hij maakte een halve draai en ramde Brians pols tegen de muur. Dat mes moest los! Brian liet niet los en probeerde grommend zijn arm terug te trekken. Hij beukte de pols nog harder tegen de muur. Met een gil liet Brian het mes vallen. Het kletterde op de stenen vloer.

Duco liet Brian niet los en gooide zich met al zijn gewicht tegen hem aan. Ze vielen met een smak op de grond. Duco viel bovenop Brian maar vooral boven op de arm van Brian, die tussen hen zat ingeklemd.

Hij voelde Brians pols helemaal dubbelklappen. Brian gilde het uit. Duco liet de slappe onderarm los en rolde van hem af.

In een flits dook hij boven op het mes. Hij graaide het van de vloer en sprong op. Weg van Brian, weg van die idioot! Brian stond voorovergebogen en hield met zijn linkerhand zijn gekwetste rechterpols vast. Hij liet zich op zijn knieën vallen. Ongelovig keek hij naar zijn pols.

'Vuile klootzak, je hebt mijn arm gebroken!' Hij liet zich op zijn zij op de grond rollen en begon te jammeren als een baby.

Duco keek snel naar Ivar, die niet van plan leek iets te gaan doen. Hij stond als bevroren tegen het urinoir geleund.

'Jij ook nog wat?' fluisterde Duco met trillende stem. Ivar ontwaakte met een schok uit zijn trance.

'Hé, Duco, man. Gave actie was dat. Je bent echt snel. Zoiets heb ik nog nooit gezien, net een vechtfilm.' Hij schuifelde naar de deur.

Duco staarde hem zwijgend aan. Ivar keek snel achter zich.

'Hé, Duco, wij zijn toch vrienden, man. Was gewoon een geintje daarnet. Even dollen onder elkaar. Niks aan de hand toch?'

De deur van de jongens-wc vloog open. Rob, de conciërge, en Geniene, de klassenmentor, stormden de ruimte in.

'Duco, laat onmiddellijk dat mes vallen, anders krijg je problemen!' gilde Geniene.

Mes? Wat voor mes? Duco keek naar Geniene en

toen naar zijn rechterhand.

'Dat is niet van mij, Geniene. Dat is van...'.

'Duco, ik zeg het nog één keer!' gilde Geniene. 'Mes laten vallen! Nu!'

Hij liet het mes vallen.

'Rob, bel een ambulance voor die jongen!' zei ze op Brian wijzend, en met een gebaar naar Duco: 'Meekomen jij, en snel!'

Ze greep hem bij zijn schouder en duwde hem de gang op. Samen liepen ze meteen door naar het kantoor van de directeur. Duco trilde als een centrifugerende wasmachine.

'Jezus, Duco,' zei Geniene. 'Wat heb je nou gedaan? Zo ken ik je helemaal niet.'

Duco vroeg zich ook af hoe hij het voor elkaar had gekregen. Het ene moment stond hij klem tegen de pisbak en het volgende moment lag Brian als een baby op de grond te jammeren en had hij, Duco, het mes in zijn handen.

De directeur stond hen al op te wachten bij de deur van zijn kantoor. Met een grimmig gezicht liet hij Duco en Geniene binnen en gooide met een knal de deur dicht.

Twee uur later liepen Duco en zijn moeder de schooltrap af naar de blauwe Volvo die voor het gebouw stond geparkeerd.

'Zo, we gaan een stukje rijden,' zei Ilse. 'Je bent de hele week geschorst dus we hebben alle tijd van de wereld. En nu wil ik nog een keer het hele verhaal horen. Plus wat je eerder met die Brian en Ivar te verhapstukken hebt gehad en waarover je thuis nooit iets mocht vertellen van Gert-Jan. Je zult trouwens zien dat hij nog trots is op je ook. Die mijnheer Discipline, energie en focus!'

Duco moest voor het eerst die middag even glimlachen.

Ilse had haar man goed ingeschat.

'Dus jij hebt die Brian aangepakt, ontwapend en uitgeschakeld?' riep Gert-Jan en sloeg met zijn hand op de eettafel zodat het bestek en de wijnglazen rinkelden. Hij sprong op en liep naar Duco, die aan de andere kant van de tafel onderuitgezakt op zijn stoel zat, doodmoe van alle emoties.

Gert-Jan sloeg een arm om Duco's schouders en tilde hem met één arm uit zijn stoel. 'Goed gedaan man, ik ben trots op je. Als iedereen zo dapper was, was er veel minder geweld. Rotzakken moet je gewoon keihard met gelijke munt terugpakken. Wat zeg ik, met extra hoge rente!'

'Hij is wel een week geschorst, Gert-Jan,' zei Ilse.

'Iemand schorsen om een gekneusde pols, dat geloof je toch niet. Weten die softe sukkels op school veel. Ik ben trots op je, Duco. Wat goed dat je eindelijk een keer voor jezelf bent opgekomen. Je hebt je al veel te lang ingehouden met je grote lijf. Man, je bent de sterkste van de klas!' Gert-Jan liet Duco los en liep achteruitboksend naar zijn stoel. 'Duco de kampioen, goed zo!'

Duco moest lachen. Gert-Jan was trots op hem! Dat was een nieuwe ervaring!

5

Met twee treden tegelijk rende hij de trap op en begon in zijn kamer als een bezetene te jongleren. Hij wist het nu zeker. Hij ging Gert-Jan laten zien wat hij kon. Het was geen American football, maar hij deed nu wél iets met ballen. Hij ging proberen heel erg goed te worden. Nee, niet heel erg goed, de béste moest hij worden.

Om tien uur moest hij naar bed, maar hij had helemaal geen slaap. De maan was bijna vol en scheen door een spleet tussen de gordijnen naar binnen. Duco voelde zich zo warm als een kooltje, dat nog ligt na te gloeien, na een gezellige barbecue.

Al was hij nog lang geen wereldkampioen, hij had een begin gemaakt. Deden ze eigenlijk aan wedstrijden bij het circus?

Misschien kon Gert-Jan hem helpen om nog beter te worden. En als hij dan heel beroemd was, dan kon Gert-Jan zijn manager worden en reisden ze samen over de wereld.

Morgen ging hij laten zien wat hij kon.

Om zes uur was hij al wakker, buiten schemerde het nog. Hij lag te stuiteren in zijn bed en kon niet wachten om aan de slag te gaan. Hij kon vandaag meer dan vijftien uur oefenen. Leve de schorsing! Hij ging megasprongen maken en hij ging ook nieuwe trucs oefenen die hij op het internet had gevonden. Ilse en Gert-Jan moesten overdag werken, dus had hij het rijk alleen.

'Vanavond wil ik laten zien wat ik al kan,' zei Duco toen Ilse 's ochtends voor haar vertrek zijn lunch klaarzette. Ze gaf hem een kus.

'Wat leuk, Duco. Gert-Jan zal dat ook heel leuk vinden. Tot vanavond!'

Hij schrok toen hij de voordeur hoorde dichtslaan. Een insluiper, was zijn eerste gedachte. Maar wie brak er nou midden op de dag bij iemand in? Hij deed voorzichtig de deur naar de gang open.

'Duco, ik ben er weer!' riep Ilse van beneden. 'We eten over een halfuur!'

Opgelucht en verbaasd haalde hij adem. Hij had vandaag werkelijk geen idee gehad hoe snel de tijd was verstreken.

Met een bezwete kop liep hij naar de keuken voor het avondeten.

'Doe maar een beetje aardig voor je vader,' fluisterde Ilse in het voorbijgaan tegen Duco. 'Vandaag is hij weer gepasseerd voor een promotie.'

Gert-Jan zat al aan tafel. Een halflege fles wijn stond voor hem.

'Zo Duco, heb je nog wat gedaan vandaag?'

'Een beetje met balletjes geoefend,' antwoordde Duco.

'Je hebt gesport?' zei Gert-Jan verrast. Hij nam een slok wijn.

'Met jongleerballetjes. Ik ben aan het oefenen.'

'Hij kan het echt goed,' riep Ilse vanuit de open keuken. 'Hij heeft talent. Na het eten geeft hij een show, hè Duco?'

'Dat zal me een spektakel worden,' zei Gert-Jan, 'ik ben benieuwd.' Hij wilde nog iets zeggen, maar leek zich te bedenken, en nam nog maar een slok.

Ilse zette een schaal pasta met gorgonzolasaus op tafel en schepte voor iedereen een bordje op. Zwijgend zaten ze te eten.

Duco deed heel even zijn ogen dicht. Hij zat niet aan tafel; nee, hij stond met zijn balletjes midden in de piste van een leeg circus. Het was doodstil in de tent. Je hoorde alleen het zachte ploffen van de balletjes, die neerkwamen in zijn handen en razendsnel heen en weer flitsten. Hij leek te zweven...

Duco schrok op van de hand van Ilse op zijn arm.

'Eet je wat, Duco? Op een lege maag kun je toch geen show geven?'

Duco nam nog een hap pasta en kauwde er lang op. Het slikken ging moeilijk; de hap pasta worstelde zich een weg naar zijn maag, waar het voelde alsof er een steen landde.

'Ik doe het nu, terwijl jullie eten, ik heb toch geen honger,' zei Duco.

Met een volle mond gebaarde Ilse, dat het goed was.

Duco ging in het midden van de kamer staan en haalde de balletjes uit zijn broekzak. Hij gooide de drie balletjes in een liggende acht omhoog. Echte jongleurs noemden dat figuur ook wel een lemniscaat. Meteen verdween de steen uit zijn maag en voelde hij zich klaarwakker. Hij vergat wie er zaten te kijken. Zijn ogen waren strak op de balletjes gericht. Eerst hield hij ze laag en snel. Toen hoger en hoger, waardoor de snelheid afnam. Hij liep een rondje door de kamer. Als laatste deed hij nog een schuine achterlangsroutine, die had hij vandaag geoefend. Hij stopte en glimlachte tevreden. Hij had niet één bal laten vallen.

Ilse begon te klappen. 'Nou Gert-Jan, wat vind je ervan?' Ilse stootte hem aan.

'Ziet er leuk uit hoor.'

'Ik kan het al een beetje met vier balletjes, maar daarop moet ik nog langer oefenen. Ik wil net zo goed worden als Pavel.'

'Ja leuk, dan kan je gaan optreden,' zei Ilse. Ze applaudisseerde weer.

Het bleef even stil.

Gert-Jan schonk zijn glas weer vol. 'Ik hoop dat je je wel realiseert dat je net begint, jongen. Wat wij zagen in het circus was topsport. Die mensen hebben daarvoor jaren en jaren getraind. Als je goed nadenkt, vraag je je af waarvoor ze al die moeite doen. Circusartiesten werken dag en nacht en verdienen geen rooie cent. Je hebt nog een hoop te leren met je twaalf jaar. Zou zonde zijn als we een geval kregen van kijk-mij-nou-eens-in-totale-zelfoverschatting.' Hij nam een slok wijn.

'Nee, ik moet nog veel oefenen. En dat ga ik ook

doen,' fluisterde Duco met trillende stem.

'Mooi zo, dan begrijpen we elkaar. Jammer dat je niet echt hebt gesport. Fietsen of rennen is toch iets anders dan met van die balletjes spelen. Als ik...'

'Gert-Jan, alsjeblieft,' zei Ilse scherp. 'Duco kan het echt goed.'

'Ja, voor een kind van zes...'

Duco luisterde al niet meer. Hij draaide zich om en rende de kamer uit. Hij stormde de trappen op en liet zich op zijn bed vallen. Alle energie die hij net nog voelde was weg. Hij was vreselijk moe. Wat een zak van een vader had hij toch. Hoe had hij kunnen denken dat Gert-Jan trots op hem zou kunnen zijn?

Hij greep zijn kussen met twee handen vast, als een reddingsvlot. Hij hoorde de stof scheuren, alsof hij het kussen probeerde te vermoorden. Haastig liet hij het los.

Hij was echt sterk. Alleen had hij er tot nu toe nooit veel mee gedaan. Behalve bij Brian, maar dat was vanzelf gegaan. Maar als hij toen sterk was, waarom kon hij het vandaag dan ook niet zijn, en morgen en overmorgen? Als je voor jezelf kon opkomen hoefde je ook niet te huilen. Trouwens, als je alleen was, voor wie huilde je dan eigenlijk?

Hij zat hier in zijn uppie in zijn eigen kamer met zijn trouwe jongleerballetjes. En met die balletjes ging hij Gert-Jan bewijzen dat hij wél een topjongleur kon zijn. Wát zei hij, de hele wereld zou het weten! En dan zou hij nog wel eens zien waar hij terechtkwam: als een stinkende zwerver op straat met al zijn spullen in twee supermarkttassen, levend van drie euro per dag, verdiend met jongleren. Of in een glimmend gepoetst circus, zoals het Circus van de Maan.

Er werd op de deur geklopt. Ilse kwam binnen met een grote zak minirepen.

'Hier, wat lekkers,' zei ze zacht. 'Ik vond je echt goed hoor. Papa is weer veel te kritisch.'

Duco scheurde de zak open en stak zonder na te denken een reepje in zijn mond.

'Morgen praten we verder. Niet te laat gaan slapen hè?' Ze gaf hem een kus en liep de kamer weer uit.

Hij zat zwijgend te kauwen en staarde voor zich uit. Ineens sprong hij op, greep nog drie repen uit de zak en gooide met een precies gemikt afstandsschot de rest van de zak in de prullenbak naast zijn bureau. Hij ging in het midden van de kamer staan en begon met de drie repen te jongleren.

Dat ging bijna op dezelfde manier als met zijn trouwe balletjes. Maar je kon toch niet met chocoladerepen op een toneel gaan staan? Hij wist ineens zeker dat hij meer spullen moest hebben als hij iets wilde bereiken. De echte jongleurs hadden ook kegels en ringen en andere props. Hij gooide de repen op zijn bed en ging achter zijn computer zitten.

Via een link op de circussite kwam hij op de site van een jongleerwinkel. THE JUGGLE STORE stond er op de website. Gewoon, zomaar een winkel die gespecialiseerd was in jongleerspullen. Hier in Amsterdam nog wel. Hij kon er zo heen met de tram. Duco sprong een gat in de lucht. Dat hij dat niet eerder had bedacht! Hij had gedacht dat je die spullen alleen in het buitenland kon krijgen of dat je het via internet moest bestellen. Dan wist je nooit of het wel te vertrouwen was.

Welcome to our Juggle-Store, the specialist juggling shop in the heart of the city.
The right place to find the world's best juggling props-unicycles-poi-diabolo-videos-dvd's-magic Spotlight Silicone, Glowballs, Glowpoi, Glowstaff...

Wat was in hemelsnaam een Glowpoi? Maakte niets uit. Hij wist nu waar hij moest zijn en morgen ging hij ernaartoe.

6

Het was al druk op het Rokin, de brede winkelstraat die zich voor hem uitstrekte. Duco voelde even of zijn pinpas nog veilig in zijn broekzak zat en liep snel door. Kuddes toeristen liepen met hun rugzakjes en petjes op te sloffen, op weg naar het museum of de koffieshop. Af en toe klonk er wild gebel van fietsers, toeristen die gedachteloos op het fietspad wandelden werden bijna geschept.

De jongleerwinkel was in een van de vele zijstraatjes van het Rokin. Vlak voor de ingang van de steeg zat een hamburgertent. Hij snoof de lucht op van verse frietjes. Straks kon hij daar wat burgertjes scoren.

Hij liep de steeg in en na een paar meter verdwenen de stadsgeluiden. Na een flauwe bocht hoorde hij zachtjes muziek spelen. Hij herkende onmiddellijk het dromerige deuntje van het Circus van de Maan. THE JUGGLE STORE stond er in sierlijke roze letters met gouden randjes op de etalageruit. De winkeldeur stond open.

Even aarzelde hij. Straks verkochten ze alleen aan professionals en niet aan kinderen die net waren begonnen. Of ze lachten hem gewoon uit als hij binnen kwam.

Iemand klopte keihard op het raam. Duco schrok op uit zijn gedachten. Door de spiegelende etalageruit wenkte een gespierde arm naar hem. Op de arm stond een kleine tattoo van drie jongleerballetjes. Aarzelend liep hij de winkel in.

'Goedemorgen meneer,' riep een lange man met brede schouders opgewekt vanachter de toonbank. 'Hoe gaat het met je vandaag?' De man had een grappig accent, het klonk alsof hij met zijn tanden op elkaar sprak. Hij had rood haar met een groene haarband erin die een bos stoffige rastavlechten bij elkaar hield. Zijn waterblauwe ogen keken Duco vriendelijk aan. Duco kon niet anders dan terugkijken. Wat had die man veel sproeten! Het leek wel of hij aan het roesten was.

'Kom je kijken of je hier iets leuks kan vinden?' Hij pakte een paar jongleerballetjes van de toonbank en begon ermee te spelen. 'We hebben van alles: juggling props, unicycles, poi, diabolo's, glowballs en nog veel meer!' Hij sprak de woordjes uit in vloeiend Engels, op het ritme van de balletjes. De man liep jonglerend naar Duco toe en bleef met een brede grijns vlak voor hem staan. 'Ik heet Larry en ik kom uit Australië, ik ben dus een aussie van Down Under. Kan jij al met die balletjes spelen?'

Duco knikte.

'Oké, let op!' Hij gooide de balletjes hoog in de lucht en stapte achteruit. Zonder na te denken stapte Duco naar voren en nam de serie over.

'Yeeesss!' riep Larry, 'dat zien wij graag! Gewoon instappen en niet nadenken! Goed man!'

Het duizelde Duco, alsof hij van de hoogste waterglijbaan in een spiraal naar beneden raasde en wild in de rondte werd geslingerd. Hij hield de balletjes hoog maar durfde geen variaties te doen. Straks liet hij alles vallen.

Larry pakte zelf ook drie balletjes van de toonbank en ging tegenover Duco staan. 'Hoe heet jij eigenlijk?' Hij gooide de balletjes omhoog.

'Duco.'

'Oké Duco, let op. Ik gooi er een naar jou en jij een naar mij.' Larry gooide een van zijn ballen naar Duco, die er direct een teruggooide. Meteen volgden de tweede en de derde. Zes ballen zweefden tussen Duco en Larry in.

'Yeeesss!' riep Larry weer. 'Man, je hebt talent,' lachte hij. 'Hoe lang doe je dit eigenlijk?'

'O, nog niet zo lang, een paar weken.'

Larry liet alle ballen op de grond vallen. 'Dat kan niet! Je liegt!' Zijn ogen schoten vuur. Hij trok zijn wenkbrauwen tot een boze frons en liet zijn tanden zien. Hij was net een boze chimpansee. 'Ik ben ongelofelijk boos... Grapje!' Lachend sloeg Larry Duco op zijn schouder. 'Ik ben jaloers! Voordat ik een beetje kon jongleren met die ballen duurde het meer dan een halfjaar. En jij... Doe je het echt pas zo kort?'

Duco knikte. Hij wist niet veel te zeggen. Wat een grappige vent was die Larry.

'Treed je al op?' vroeg Larry.

'Nee, niet echt.'

'Je moet zeker gaan optreden. Man, jij kan zo beroemd worden.'

'Treed jij wel op?'

'Tegenwoordig meestal op straat. Ik reis de wereld rond en heb opgetreden in circussen van Australië tot Amerika en Europa. Ik woon nu alweer bijna een jaar hier. Ik ben verliefd op een van jullie prachtige vrouwen. Ze is lang en blond, man. Bij ons komen de meisjes tot hier.' Hij wees tot onder zijn schouder.

Duco kon zich best voorstellen dat een meisje iets wilde met zo'n gespierde rasta-aussie, die ook nog kon jongleren.

'Anyway, jij komt natuurlijk om iets te kopen?' vroeg Larry.

'Ja, ik wilde graag wat meer spullen hebben.'

Larry liet Duco de hele voorraad van de winkel zien. Hij spreidde de hele collectie uit over de toonbank. Spotlight classic beanbags, rave beanbags, Skwosh bags, Lazy Daze juggling bags, beard DX chrome stage ballen, Power ballen, Mr. Babache colour ballen. Het duizelde Duco van de geweldige hoeveelheid, de kleuren, de namen. En Larry ging door: Henry's Pirouette kegels, Radical Fish glow in the dark en Renegade Fathead.

Duco kocht uiteindelijk zeven professionele Beard glow in the dark ballen; groen-witte jongleerballetjes die licht gaven in het donker. Ook kocht hij vijf knalroze Spotlight Rainbow kegels met zilveren sterren erop en zeven stalen ringen van Fratellini.

'Dat is dan honderdvijfenzeventig euro.' Larry stopte alle spullen voor Duco in een groene canvas tas waarop in witte letters STAGE PROPS stond. Duco moest even slikken terwijl hij zijn pincode intoetste.

Dat sloeg een aardig gat in zijn spaargeld.

'De tas is gratis, hoor.' Larry pakte een boek uit de kast achter hem. *The Complete Juggler* stond erop. 'En als extra bonus de jongleerbijbel van Dave Finnigan. Alles wat je moet weten staat erin. Beschouw het als mijn cadeau voor de start van je carrière.' Hij stopte het boek in de tas.

'Dankjewel,' stotterde Duco. Hij voelde zich vereerd en opgelaten tegelijk.

Larry maakte een wuivend gebaar. 'Het is goed, man. Ik weet aan wie ik het geef. Ik herken talent op duizend kilometer afstand. Beloof me dat je me komt opzoeken als je beroemd bent.'

'Natuurlijk kom ik terug.'

'Mooi, man. En nu terug naar je hol en oefenen, oefenen en nog eens oefenen.' Larry gaf Duco weer een klap op zijn schouders en liep met hem mee naar buiten.

'Later, Duco!' Hij zwaaide, liep naar binnen en kwam meteen weer naar buiten. 'Duco, kom kijken als ik optreed. Ik sta 's avonds vaak op het Leidseplein. Alleen als het mooi weer is, ik ben immers een aussie. Zie je!'

'Zie je, Larry,' zei Duco. Hij wandelde met verende pas de steeg uit. Alsof hij ineens tien kilo lichter was. Hij, Duco, de man met de snelste handen van de wereld, nou ja, van de stad, oké dan, van de straat, had zijn eigen jongleerspullen!

Op de hoek van de steeg en het Rokin bleef Duco even stilstaan. Het was een stuk drukker geworden en een stroom mensen schuifelde voorbij.

Hij had gejongleerd samen met een pro! En Larry was ook nog heel aardig. Die vond dat hij talent had. Hij had hem totaal serieus genomen. Ze waren jongleurs, collega's onder elkaar geweest. Zélf optreden, had Larry geroepen. Als dat toch eens zou kunnen. Maar dan moest hij wel uit zijn kamer durven komen.

Hij liep de steeg uit en sloeg af in de richting van de tramhalte. De geur van verse frietjes kietelde weer zijn neus. Hij stopte voor de hamburgertent. Duiven en meeuwen vochten op de stoep om een halfleeg bakje frites. Zou hij nu even een paar... hij schudde zijn hoofd. Nee, als hij ooit serieus wilde optreden moest hij die vette troep laten staan. En als hij dunner was lachten ze hem misschien niet meer zo snel uit. Dan kon de Roze Gummi Beer met het oud vuil mee.

Hij liep verder en hij huppelde bijna, zo licht voelden zijn voeten. Hij ging een eigen act maken en optreden. Zou het boek van Larry hem daarbij kunnen helpen?

Thuis sloot Duco zich meteen in zijn kamer op. De schorsing was nog niet voorbij en dagenlang werkte hij zich bladzijde voor bladzijde door zijn nieuwe jongleerbijbel heen en probeerde alle routines uit. Hij liep op blote voeten, in een korte broek en een hemdje, door zijn kamer met de kegels en de ballen en de ringen. Vooral de kegels maakten lawaai als ze met geraas op de vloer kletterden.

Als Ilse naar boven kwam met een broodje en wat te drinken bleef ze even staan kijken en klapte ze in haar handen. Tussendoor nam hij af en toe een paar snelle happen, maar de helft van het broodje kon Ilse bij de volgende ronde weer mee terug nemen.

Bijna iedere avond liep Gert-Jan te mopperen. Of het ook wat zachter kon? Terwijl het juist zo lekker ging op de keiharde hip-hop van Zizz-Djee. Af en toe liet Duco expres een kegel op de grond vallen.

Plotseling stormde Gert-Jan Duco's kamer in. 'Nou is het genoeg met die herrie! Ik probeer me te concentreren op mijn werk, ja! En jij loopt een beetje herrie te trappen met dat jongleergedoe?' Hij liep met wilde passen door de kamer, bukte zich en raapte een kegel op. 'Wat heb je allemaal voor een rommel hierheen gesleept? Weg met die zooi!' Hij liep naar het bed om meer kegels op te pakken.

Wat ging Gert-Jan nou doen? Zijn kegels afpakken? Dat ging dus echt niet gebeuren! Duco sprong tussen zijn vader en zijn bed in. 'Mooi niet! Die heb ik met mijn eigen geld betaald!'

'Kan me niets schelen, die kegels gaan weg!'

'Echt niet!' Duco pakte de kop van de kegel die Gert-Jan al vast had. 'Geef hier!' gilde hij en trok eraan.

'Loslaten Duco, nu!'

Duco trok uit alle macht aan de kegel, maar Gert-Jan liet niet los. Ineens voelde Duco de buitenkant van de kegel af glijden. De hele folielaag met de versiersels liet los. Hij viel met de folie in zijn hand achterover op het bed en Gert-Jan viel bijna achterover op de grond. Duco hapte naar adem. Gert-Jan had een van zijn vriendjes gesloopt! Dat pikte hij niet.

‘Kijk nou wat je doet! Mijn mooie kegel. Eikel! Vuile dictator!’

Gert-Jan reageerde niet en liep de kamer uit met de kapotte kegel in zijn hand. Met een knal trok hij de deur dicht. ‘Stoppen, nu! Anders smijt ik alles in de vuilnisbak,’ brulde hij vanaf de trap.

Hijgend bleef Duco achter. Het stuk folie smeet hij met een wilde zwaai door de kamer. Hij kon zijn vader wel vermoorden.

Er werd zachtjes op de deur geklopt. Ilse deed de deur open. ‘Duco, mag ik binnenkomen?’ vroeg ze zachtjes.

Duco gaf een trap tegen de deur. ‘Nee, ga weg!’

‘Ik heb chocolademelk en een gevulde koek voor je. Dan kan je even afkoelen.’ Ilse duwde de deur open. Ze liep de kamer in en zette een blad neer op zijn bureau. Ze sloeg een arm om Duco heen. Geïrriteerd draaide hij uit de omhelzing weg.

‘Even niet, ma. Ik hoef helemaal geen koek om af te koelen. Ik wil gewoon mijn ding kunnen doen, zonder dat jullie je ermee bemoeien. En Gert-Jan moet die kegel betalen.’

‘Ik betaal de reparatie wel, lieverd,’ zei Ilse. ‘Morgen is het zaterdag en dan gaan we samen naar de jongleerwinkel.’

‘Nee, ik ga alleen. Ik wil dat hij het zélf betaalt. Trouwens, jij hebt toch niks gedaan?’

‘Maakt mij niet zoveel uit, lieverd...’

Ilse wilde nog wat zeggen, maar Duco duwde zijn moeder zachtjes zijn kamer uit. Hij moest doorgaan met oefenen. Niemand ging hem tegenhouden!

7

De winkel van Larry was nog niet open. Duco liet zich op zijn hurken tegen de winkeldeur zakken. Hij sloot zijn ogen en voelde met zijn handen in zijn jaszak; daar zaten drie balletjes in. Hij had nu een basisact, maar hij moest nog tijden oefenen voordat het foutloos zou gaan. Of hij echt wilde optreden, daarvan had hij nog geen idee. Je ging toch niet zomaar even in je eentje op een plein staan of bij een winkelcentrum?

Hij dacht aan het idee van Ilse om op school op te treden. Optreden was niet zo slim, maar er was wel een toneelpodium. Daar kon hij misschien een tijdje oefenen. Misschien kon hij Trijntje, de juf van muziek en theater, om hulp te vragen? Zij was de aardigste lerares op school en de muzieklessen waren ook best leuk. Trijntje wist alles van theater en optreden. Met háár praten durfde hij wel. Het was trouwens de enige mogelijkheid die hij tot dan toe had verzonnen.

Ineens klonk er gestommel in de winkel en met een zwiep zwaaide de winkeldeur open. Duco rolde achterover de winkel in.

'Hé, goedemorgen! Wat krijgen we hier binnen gerold?' Het was Larry. 'Ik had je helemaal niet gezien.'

Haastig krabbelde Duco overeind. Dat was bepaald geen coole entree die hij maakte. 'Ik was een beetje vroeg. Zat even voor me uit te staren.' Hij lachte verlegen.

'Kom binnen en vertel me, wat kom je doen? Toch niet nog meer spullen kopen?' Larry drukte achter de toonbank een aantal schakelaars in. De verlichting ging aan. 'Of heb je al een aanbieding van een circus gekregen?'

Duco haalde de kegel uit zijn tas. 'Mijn kegel is gewond.'

'Wauw, wat heb je daar nou mee gedaan? Door een vrachtwagen overreden of zo?'

'Zoiets.'

'Die kan ik niet meer repareren, maar...' Larry dook op zijn knieën onder de toonbank. Duco hoorde hem een tijdje rommelen.

Proestend kwam hij weer naar boven. 'Wat een stof zeg. Moeten we nodig schoonmaken. Kijk, dit zocht ik.' Hij bladerde in een map waarop een kegel stond. 'Yep, ik heb het. Op dit merk heb je levenslange garantie. Je krijgt dus gewoon een nieuwe van me. Eigenlijk kúnnen ze helemaal niet stuk. Ik pak even een andere.' Larry liep naar achteren.

Dat was mooi van die fabrikant. Of zou Larry hem gewoon matsen? Duco stond te wiebelen op zijn voeten. Het liefst wilde hij nu meteen weer gaan oefenen. Hij pakte de balletjes uit zijn jaszak en deed er een paar trucjes mee.

Ondertussen keek hij de winkel rond. Deze plek was echt de hemel op aarde. Overal stonden, hingen en lagen jongleerprops. Gouden en zilveren kegels lagen in een soort wijnrek hoog opgestapeld achter de toonbank. Bakken met gekleurde balletjes stonden ernaast. Alles kon je zo pakken en gebruiken. Iedereen die in deze winkel kwam werd vast hebberig.

'Heb je trouwens de poster voor die workshop al gezien?' riep Larry vanuit het magazijn.

Met de balletjes in de lucht liep Duco naar de deur.

Op het prikbord ernaast hing een kleine oranje poster. Daaromheen hingen nog allemaal papiertjes met kleine advertenties erop.

Clown voor kinderfeestjes? Bel me: 06-123 987 567.
Privéles circusmuziek. Tien euro per uur. E-mail: circusmuziek-nbv.nl

Op de poster stond:

Circus-workshop
Doe je iets met circusacts en ben je gek van het circus, schrijf je dan in.
We gaan een hele dag plezier maken.
Voor iedere discipline hebben we topartiesten beschikbaar, die met jou een paar mooie dingen gaan oefenen.

Acrobatiek, Clowns, Jongleren en Muziek.

Voor kids van 8-15 jaar
Locatie: Jeugdtheaterschool – Amsterdam
Kosten: Op uitnodiging gratis, anders 75 euro

Wanneer: Iedere eerste zaterdag van de maand
Meld je aan via de website: www.kidstheaterschool.nl

Duco ving zijn balletjes in één hand. Wat zou het geweldig zijn als hij daaraan mee kon doen. Met een echte artiest een hele dag oefenen. Je moest natuurlijk wel heel goed zijn of talent hebben. Hij stopte de balletjes terug in zijn zak. Maar het was heel duur en niemand ging hem natuurlijk uitnodigen.

'Wat denk je? Ga je je inschrijven? De volgende is over twee weken.'

Duco schrok op. Larry was zonder dat hij het hoorde achter hem komen staan.

Meedoen aan zo'n workshop? Met echte artiesten? 'Nee, ik denk dat ik geen tijd heb.'

'Jammer. Hier, kijk eens.' Larry hield een nieuwe kegel in de lucht en gooide hem met een boogje naar Duco toe.

Hij ving hem op en stopte hem in zijn tas. 'Super, dank je.' Hij liep naar de deur en trok hem open.

'Duco, heb je die poster wel goed gelezen?'

'Ja, ziet er mooi uit,' zei Duco. Hij was toch niet blind of zo?

'Ik dacht dat je hem niet goed had gelezen omdat je tegelijk aan het jongleren was.'

Had die Larry hem zitten bespioneren? Duco haalde zijn schouders op. 'Nou, ik ga maar weer. Later.' Hij stapte naar buiten.

'Oké, man. Ik ga je zien,' riep Larry.

Langzaam liep Duco de steeg uit. Hij ging thuis lekker weer verder met oefenen. En misschien kon hij over een paar maanden een keer met Trijntje...

'Duco!' galmde het door de steeg.

Hij draaide zich om.

Larry hing half uit de winkeldeur. 'Wat is je artiestennaam?'

'Heb ik nog niet,' riep Duco terug. Goede vraag trouwens. Daar moest hij eens over nadenken.

'Je had toch geen tijd hè, zaterdag over twee weken?'

'Nee, ik denk het niet.'

'Maar, als ik je nou uitnodig voor die workshop, kom je dan wél?'

Duco's oren gloeiden en klapperden als die van een Afrikaanse olifant. Meende Larry het serieus? Maar hij had nog helemaal geen act en geen naam, en hij zag er niet uit met zijn dikke kont. Iedereen ging hem uitlachen. En hij wist nog wel honderd redenen meer, om niet te gaan.

'Nou, wat denk je ervan?' Larry was naar hem toe gelopen. 'Je ziet eruit alsof je uit je oren hebt gesnoept.'

'Alsof je je laatste oortje hebt versnoept, bedoel je.'

'O ja, ik dacht al dat ik iets miste,' zei Larry. 'Ik geef namelijk zelf les die dag. En ik vind dat je mee moet gaan, man. Jij...' hij pakte Duco bij zijn schouders, '...hebt T-A-L-E-N-T!!!' Letter voor letter spelde Larry het woord. De letters galmden door de steeg.

Hij werd ineens zo verlegen, dat hij niet anders kon doen dan naar de grond staren.

'Jezus, man. Je staat jonglerend te lezen! Dat kan helemaal niet! Kom op, mee naar binnen, dan vullen we een formulier in.' Larry greep Duco bij zijn hand en trok hem de winkel in.

'Zo,' zei Larry nadat ze het formulier op de website hadden ingevuld, 'ik heb nu je e-mailadres en mobiele nummer; hier is mijn kaartje met mijn gegevens. Kunnen we teksten als het nodig is. Nu alleen nog je artiestennaam.'

Zijn artiestennaam, dat was een goede vraag, want Duco van Staveren klonk een beetje lullig voor de man met de snelste handen van de wereld. Duco dacht koortsachtig na. 'Ik dacht iets met Duco erin en iets met ballen. Het moet wel cool zijn.'

'Jij houdt vast van rapmuziek?'

Hij knikte. 'Ik heb het opstaan als ik oefen. Ik wil het ook in mijn act gebruiken.'

'Waarom verzin je daar niet iets mee? Een kruising tussen een rapper en een jongleur. Duco de Rapleur! Klinkt chic, beetje Frans vind ik.'

'Ja, het klinkt wel chic, maar Frans klinkt niet voor een artiest.'

'Maar wel heel artistiek en creatief.'

Ze bedachten van alles: Cool J-lor en Rap-Hands en The Duco. Ten slotte bedacht Duco: Duco X-ballZ. Dat zou zijn artiestennaam worden.

Op weg naar huis voelde Duco zich als een ballonnetje dat vrij over straat zweeft en af en toe door een zacht warm windje wordt opgeblazen en weer verder stuitert. Hij ging een workshop doen! En hij had een artiestennaam: Duco X-BallZ!

Hij stond midden in de piste, gekleed in een strak zilveren balletpak. Het publiek was doodstil, zachtjes speelde een muziekje dat hem deed denken aan een hippend vogeltje. Wat deed hij hier nou in zo´n belachelijk pakje? Iedereen kon zijn vetrollen en zijn dikke kont zien; hij kon helemaal niks. Zijn armen zaten vastgevroren aan zijn lijf. Het publiek begon langzaam te klappen. Het koude zweet brak hem uit. Nu wilde hij door de grond zakken. Nu!

Met een schok werd hij wakker. Het was drie uur op zijn wekkerradio, midden in de nacht. Wat een vreselijke nachtmerrie.

Hij veegde het zweet van zijn voorhoofd en staarde naar het plafond. De afgelopen week was als een droom voorbijgegaan. Helaas had hij weer naar school gemoeten. Ze hadden hem nog veel langer mogen schorsen.

Op school voelde hij wel dat de kinderen anders naar hem keken. Vooral die stiekeme pesterijen van de kakkerlakken waren in één keer gestopt. Niet dat het nu super gezellig was in de klas, maar het was beter dan ervoor.

Brian en zijn schaduw Ivar hadden hun lesje maar half geleerd. Ze bleven hem bedreigen met een wraakactie. Maar ze durfden het niet meer te doen waar iedereen bij was. Nu fluisterden ze hun dreigementen in het voorbijgaan, als anderen het niet konden horen, de lafbekken.

Brian liep een keer in de klas langs hem en fluisterde: 'Hé Gummi, wat dacht je van een mes in die dikke reet van je?' Een andere keer siste hij: 'Vanavond steek ik je huis in de fik!' En met een vuile grijns liep hij dan snel door. Duco begon dan zachtjes te neuriën en deed of hij het niet hoorde of hij maakte een plaatje in zijn hoofd van een moeilijke figuur met de balletjes.

Wat enorm scheelde was dat Brian en Ivar meer dan de helft van de tijd aan het spijbelen waren. Als die stoorzenders niet in de klas zaten waren de lessen soms zelfs leuk.

Iedere dag na school had Duco zich vrijwillig opgesloten in zijn kamer. Het mannetje in zijn hoofd was zonder stoppen, als een bezetene, tekeer gegaan. 'Doorgaan, doorgaan, hoger, harder, sneller! Kom op, Duco X-BallZ, de man met de snelste handen ter wereld!'

Iedere oefensessie leek het alsof zijn spieren en zenuwen verder werden geprogrammeerd, net zoals hij een keer in een film had gezien. Nemo, de held in de film, moest om de wereld te kunnen redden eerst tot een supervechter worden omgebouwd. Ze sloten zijn hersenen direct aan op een simulator. Binnen een uur werden de zenuwen, neuronen en spieren van Nemo geprogrammeerd.

Dat waren de goede dagen. Dan wist hij zeker dat school toch wel een enorme tijdverspilling was.

Maar op sommige momenten lag de hele computer plat. Dan was er een ernstig virus in het systeem geslopen. De balletjes donderden ieder moment uit zijn handen op de vloer. Hij probeerde zich dan te concentreren, maar de gedachte aan de workshop leidde hem af. Dan klopten zijn slapen en begon hij enorm te zweten. Had hij maar nooit de uitnodiging van Larry aangenomen! Hij was toch niet goed genoeg. Zo was het ook de afgelopen middag geweest.

Hij ging rechtop in bed zitten en deed het licht aan. Nog maar een paar dagen. Als hij niet nog meer oefende ging hij op de workshop af als een gieter. Hij liet zich uit bed glijden en drapeerde zijn dekbed op de grond. Zo klonk het hopelijk minder door naar de slaapkamer van Ilse en Gert-Jan onder hem.

Hij ging op het dekbed staan en gooide een balletje op. In het begin voelde het wat stram, hij was net wakker. Maar na iedere herhaling voelde de beweging weer iets beter en sneller en zekerder.

Er werd zachtjes op de deur geklopt. Ilse deed de deur open.

'Duco, wat ben je in hemelsnaam aan het doen?' Ze schuifelde op haar sloffen en met haar haren als een ragebol de kamer in en ging op zijn bed zitten.

Duco reageerde niet en ging gewoon door met oefenen.

'Wat gaat het goed, lieverd. Ik geloof mijn ogen niet.'

'Ik moet oefenen. De workshop is al snel.'

'Een workshop? Waar dan?'

'In de theaterschool. Ik ben gevraagd door Larry van de jongleerwinkel, een echte jongleur uit Australië.'

'Daarom ben je zo druk bezig!' zei Ilse. 'We vroegen ons al af.'

'Ik weet niet eens of ik het kan,' zei Duco.

'Papa zal het ook heel leuk vinden.'

Duco stopte met zijn oefening. 'Denk je het echt?'

'Natuurlijk, je weet dat hij discipline, energie en focus belangrijk vindt. En zo fanatiek als jij de laatste tijd tekeergaat...'

'Gert-Jan vindt jongleren stom!'

Ilse klopte naast zich op het bed. 'Kom eens zitten, lieverd.' Ze sloeg een arm om hem heen. 'Papa was vroeger een topsporter, dat weet je. Toen jij werd geboren hoopte hij natuurlijk dat jij ook zo sportief zou worden. Maar je lijkt als twee druppels water op opa. Die was ook zo groot en stevig en die heeft helemaal nooit aan sport gedaan. Af en toe vergeet Gert-Jan dat. Hij werd net wakker van je capriolen. Eerst wilde hij weer boos worden, maar toen hij doorhad dat je aan het oefenen was, moest hij lachen. Eigenlijk vindt hij het wel leuk dat je zo bloedfanatiek aan het jongleren bent.'

'Maar waarom doet hij dan altijd zo negatief, mam?'

'Hij reageert soms wat emotioneel... maar hij bedoelt het niet zo. Hij houdt veel van je, hoor... Je moet een beetje geduld hebben.' Ilse gaf hem een kus en stond op. 'Je moet nu echt gaan slapen, Duco. Het is al hartstikke laat en je moet morgen weer naar school. Oké?'

Duco knikte.

Ilse zette haar handen in haar zij en trok haar kin in en zette een zware bromstem op: 'Discipline, concentratie en focus. Niet vergeten hè, je weet toch hoe die maffe vader van je denkt?' Ze bukte zich en pakte het dekbed van de vloer.

'Energie, mam, niet concentratie.' Duco liet zich lachend achterover op het bed vallen.

'Dat zeg ik!' Ilse gooide net het dekbed over hem heen.

'Mam?'

Ilse keek hem vragend aan.

Duco had willen zeggen dat hij van haar hield en dat hij voor haar en Gert-Jan de beste jongleur wilde worden. Zodat ze trots op hem konden zijn. Maar zoiets truttigs zeiden ze alleen in Amerikaanse films.

'Welterusten,' zei hij daarom maar.

'Tot morgen, lieverd.'

Duco liep in zijn blootje naar de badkamer en ging op de weegschaal staan.

91,5 stond er op het schermpje. Hij stapte af en schopte tegen de weegschaal aan. De batterijen waren zeker bijna op. Hij ging er weer op staan. *91,5* meldde het scherm weer. Hij kon zijn ogen niet geloven. Hij was bijna vier kilo lichter geworden! Hij zette een kruisje in het 91-kilovakje. Voor het eerst zat er een knik in de lijn van de grafiek. Nog zes kilo, dan was hij net zo zwaar als Gert-Jan.

Hij ging voor de spiegel staan en hief zijn armen in de lucht. Je zag al wel iets, de rollen op zijn zij waren dunner. Hij kneep in de rol op zijn buik. Daar kon nog wel wat vanaf. Maar toch, vier kilo! Niet snoepen en veel jongleren werkte wel. Hij was op weg een strakke jongleur te worden.

Met een huppel sprong hij de douchecabine in en gleed bijna uit op de gladde vloer.

Hij ontbeet met yoghurt en een appel, en thee zonder suiker.

Na school was Duco in één keer naar huis gerend in plaats van de bus te nemen. Thuisgekomen rende hij met twee treden tegelijk de trap op, rukte de gordijnen open en zette het raam open. Het was prachtig weer.

Vandaag ging hij het boek van Larry niet gebruiken. In plaats daarvan surfte hij naar zijn favoriete jongleersite om de siteswap voor die dag op te zoeken. Met de siteswap-notatie kon je iedere truc als een wiskundige formule uitrekenen en opschrijven. Je kon eruit lezen hoe hoog je een bal moest gooien en naar welke hand. Er waren zelfs formules die wiskundig klopten maar die niemand kon nadoen, zo moeilijk waren die.

Duco bestudeerde het filmpje op het scherm en merkte ineens dat zijn ogen sneller waren geworden. In het begin zag hij op een clip zeven balletjes als een schuimende waterstroom en moest hij hem op slowmotion afspelen om alles te kunnen zien. Maar nu zag hij op normale snelheid ieder van de zeven balletjes apart rondgaan.

Hij gebruikte de 3-cascade als makkelijke oefening voor de warming-up met drie ballen. Je startte met twee ballen in je linkerhand en een in de rechter. Je gooide één bal met een boogje van de linkerhand naar de rechter. De rechterhand gooide dan meteen de tweede bal naar de linkerhand en ving daarna de eerste bal op, en dan gooide de linkerhand de derde bal over. Zo waren er steeds twee ballen in de lucht en eentje in een hand, die elkaar voorlangs kruisten.

Als hij bezig was, was zijn hoofd leeg, zonder gedachten. Alles draaide om zijn handen en de props. Hij kon het zelfs een beetje met zijn ogen dicht.

8

‘Goedemorgen, je bent de eerste artiest vandaag. Wat is je naam?’ vroeg de vrouw die bij de ingang van de theaterschool achter een tafeltje zat.

‘Duco van Staveren.’ Duco zette zijn props-tas op de grond. De vrouw liep met een potloodje een lijst met namen langs.

‘Ha, Duco X-BallZ, een introducé van Larry,’ zei de vrouw. Ze streepte Duco’s naam door op de lijst. ‘Hier, plak deze sticker met je naam op je borst. De jongleurs zitten in de grote zaal op de tweede verdieping. Jullie delen de zaal met de acrobaten. Heel veel plezier. We gaan over drie kwartier beginnen, kijk vast maar wat rond.’

Langzaam liep Duco de trap op. Zijn voetstappen galmden in het trappenhuis. Door de glas-in-loodramen aan de zijkant van de trap scheen de voorjaarszon veelkleurig naar binnen, alsof de show alvast was begonnen. Hier liep hij dan, en straks kwamen er nog meer kinderen die ook iets deden.

Zijn benen voelden zwakjes aan, alsof hij een steile berg aan het beklimmen was in plaats van een paar trappetjes.

Op de tweede verdieping liep hij recht tegen de ingang van de grote zaal aan. Op de deur was een geel papier geplakt waarop met viltstift *Jongleurs & Acrobaten* was geschreven.

In de zaal rook het een beetje naar zweet, zoals in een gymzaal. Door de lamellen voor de ramen schenen dunne stralen zonlicht, waarin duizenden stofjes dansten.

Tegen de muur onder de ramen lagen en hingen allemaal jongleer-props op tafels en aan rekken. In een andere hoek stonden acrobatiekspullen. Eenwielers, ballen van een meter hoog en wat rekken. Op de grond lag een tumblingbaan, uitgerold, maar nog niet opgeblazen.

Duco zette zijn tas op de grond en pakte een paar balletjes van de tafel. Deze waren veel harder dan die van hem. Hij liet er een op de grond vallen. Direct stuiterde de bal meer dan een meter omhoog. Snel ving hij hem op.

Achter hem klonk geluid. Een grote brede jongen en een supermooi meisje kwamen de zaal in en liepen meteen naar de acrobatenkant.

Zijn hart sloeg een slag over. Dat meisje kende hij van school! Het was Yakima, die in de parallelbrugklas zat. Als hij hier afging, wist straks de hele school waar hij mee bezig was. En zij was ook nog het mooiste meisje dat hij ooit had gezien: pikzwart, golvend lang haar, grote groene ogen en een mond...

'Hallo,' riep de jongen van de overkant. Hij stak zijn hand op naar Duco.

'Hallo,' zei Duco. Hij stak ook zijn hand op.

'Wij gaan aan acrobatiek meedoen vandaag en jij?'

'Ik ga jongleren proberen.' Hij kreeg het nauwelijks uit zijn mond. 'Ik ben nog maar net begonnen.'

'En je mocht nu al meedoen? Ik ben al een paar jaar bezig. Ik heb ook al opgetreden,' zei de jongen.

Terwijl hij sprak, maakte Yakima langzame radslagen door de zaal. Ze leek een wiel dat langzaam over de vloer rolde. Het wiel kwam recht op Duco af. En stopte op nog geen meter afstand van hem.

Yakima kwam overeind en gooide haar bos haren achterover. 'Hi, ik ben Yakima. Volgens mij heb ik je wel eens op school gezien.' Ze stak haar hand uit en glimlachte. Twee megagrote supergroene ogen keken hem vriendelijk aan.

Hij was in één keer de weg kwijt. Zonder na te denken stak hij ook zijn hand uit, maar het leek net alsof het niet zijn eigen arm was. Hij bewoog zijn arm op en neer alsof hij aan een ouderwetse pomp water stond op te zwengelen. Door de beweging schoot Yakima bijna tegen hem op. Ze bewaarde haar evenwicht door hem bij zijn schouders vast te pakken. Haar haren zwiepten in zijn gezicht.

'O sorry, dat was niet de bedoeling,' stamelde Duco.

Yakima hield hem stevig vast.

Zijn gezicht zat bijna begraven in haar haren. Vlak voor zijn neus zaten een paar rode speldjes met lieveheersbeestjes erop. Ze rook naar kokos. Hij moest ineens aan een warm strand denken.

'Geeft niks, ik kan wel wat hebben. Jij kent duidelijk je eigen kracht niet,' zei Yakima. 'Ik hoorde zoiets van de week op school ook al over jou. Goede actie hoor. Zo'n etter moest al veel eerder worden gestraft. Je heet toch Duco, niet?'

Hij knikte.

'O, ben jij die jongen uit de brugklas die Brian heeft afgestraft?' riep de jongen. 'Dat verhaal is de hele school door gegaan. Geweldig, die sukkel loopt nog steeds zielig te doen met zijn mitella, terwijl hij alleen maar een gekneusde arm heeft! Ik heet Tom.' Hij stak zijn grote hand uit.

O ja, hij wist ineens wie Tom was. Hij zat in de derde en was zeker een kop groter dan hijzelf, met brede schouders en een smal middel. Hij was vast het vriendje van Yakima.

'Jongleren is leuk, mijn vader deed vroeger ook aan jongleren,' zei Yakima.

'Doet hij het niet meer?'

'Hij is gestorven toen ik zes was. Maar ik ben er al overheen hoor.' Yakima schudde haar haren heen en weer. Ze liet Duco's schouders los, liet zich met haar schouder tegen hem aan vallen, en meteen stuiterde ze van hem af en liet zich achterover op haar handen vallen. Duco dacht eerst even dat ze ging vallen, maar ze maakte een achterwaartse handstand, bleef een ogenblik op haar handen staan en draaide haar voeten weer naar de grond. Stralend kwam ze overeind, met al haar haren in haar gezicht.

Er liepen wel tien of vijftien kinderen tegelijk binnen, voorafgegaan door Larry en een man met een grappig roze petje op.

Larry zwaaide naar Duco. 'Hé Duco X-BallZ, goed je te zien man!' Hij gaf Duco een high five, gooide zijn rugzak op de grond en klapte driemaal in zijn handen. 'Oké. Alle kids die jongleren, kom even om mij heen staan. De acrobaatjes moeten nog even wachten.'

De jongleurs gooiden hun tassen aan de kant en liepen druk pratend naar Larry toe.

'Mijn naam is Larry Ohlson en mijn artiestennaam is Larry the Wave. Wave, dat is omdat ik vroeger op een surfboard heb staan jongleren.'

Iedereen begon te lachen. Jongleren op een surfboard!

'Ik ben vandaag jullie coach en ik hoop dat jullie een paar tips en tricks oppikken in deze workshop. En ik hoop vooral dat we heel veel plezier gaan maken met zijn allen. Hierboven de tafel hang ik het programma. Aan het einde van de dag brengen we alle disciplines bij elkaar en doen we een generale repetitie van een minishow die we morgen op het Heinekenplein gaan uitvoeren.'

Er ontstond geroezemoes in het groepje.

'Rustig aan! Er is niets engs aan. En jullie weten het toch: er gaat niets boven *the real thing*... optreden dus! Kom op, dan gaan we aan de slag.' Larry klapte in zijn handen en liep naar de jongleertafel, waar hij het programma met plakband op de muur plakte:

Programma Jongleer Workshop
Coach: Larry the Wave

10.00 Warming-up
10.30 Basics versterken

11.30 *Een speciale truc*
12.30 *Lunch*
13.30 *Minishow-opbouw*
17.00 *Generale minishow (all)*
18.00 *Einde*

'O ja, voordat ik het vergeet. Dit hier is Philimon uit Canada, een vriend van mij.' Hij legde zijn arm om de schouders van de man met het roze petje, die meer dan een kop kleiner was dan Larry. 'Hij wil ook leren acrobaten en jongleurs te coachen, daarom helpt hij me vandaag een beetje. Iedereen noemt hem trouwens Phil. Stel jezelf even voor, Phil.'

Phil knikte vriendelijk. 'Ik heet dus Phil,' hij lachte kakelend als een kip. 'Ik heb veel aan acrobatiek gedaan, maar niet zoveel als aan jongleren. Ik wil graag leren coachen en hoe je een show produceert. Ik kom uit Canada en mijn moeder was Nederlandse. Van haar heb ik Nederlands geleerd.'

Duco lachte met Phil mee. Grappige man was dat. Hij stond de hele tijd te wiebelen en te draaien en te glimlachen. Aan de overkant stonden Yakima en de anderen nog te wachten. Ze lachte en zwaaide naar hem.

'Ben je wakker, Duco?' Larry zwaaide met zijn handen voor Duco's gezicht. 'We gaan aan de slag. Oké jongens, maak de kring wat wijder.'

Larry ging in het midden staan. 'Eerst wat rekoefeningen, doe mij maar na.' Hij strekte zijn armen omhoog en liet ze als twee stokjes naar het hoge plafond reiken. 'Oké, nu doe je alsof je op een stoel gaat zitten en hou je je armen gestrekt naar boven. Zo komt je onderrug goed los.'

Duco boog zijn benen. Dat viel nog niet mee. Na tien seconden begonnen zijn dijen enorm te trillen van de inspanning. Hij ging even rechtop staan.

'Kom op Duco, niet opgeven hoor. Je kan het best!' riep Larry.

De anderen in de kring waren dun en pezig en leken helemaal geen last te hebben van de warmte, maar Duco voelde zweetplekken op zijn T-shirt ontstaan. Zie je wel, hij was gewoon veel te zwaar voor dit soort dingen. Als dit de warming-up was, hoe heftig was het jongleren dan wel?

'Oké, dat was de warming-up,' riep Larry. 'Pak allemaal drie jongleerballen, dan gaan we met de basics beginnen. Ik wil eerst zien op welk niveau jullie zijn. Begin jij eerst, Faroque.'

Larry wees een jongen aan met heel kort donker kroeshaar. Hij droeg een hemdje zonder mouwen en had gespierde armen. Duco werd bijna bang van zijn zwarte ogen, die bozig de wereld in staarden.

Faroque pakte zijn balletjes en begon ze rond te laten gaan. Het zag er soepel en snel uit.

'Oké, en kan je ook de Oncie-Twocie doen?' vroeg Larry. Faroque veranderde het patroon van de ballen, waarbij er steeds twee en daarna één bal op en neer gingen. Als de zuigers in een motor.

'Prima Faroque, dat ziet er heel goed uit.' Larry klapte in zijn handen. Faroque ving zijn balletje op en lachte opgelucht. Meteen was die bozige blik weg.

'Oké Duco, nu jij.' Hij schrok op. Larry wist toch

al wat hij kon? Waarom moest hij nu voor de groep gaan staan in zijn bezwete shirt? Bijna met tegenzin pakte hij zijn balletjes.

'Begin maar rustig. We hebben geen haast,' zei Larry.

Duco gooide de eerste bal op, en de tweede, en de derde. Binnen een paar tellen voelde hij het ritme in zijn armen en handen. Het was net alsof iemand de stoffige deken die over zijn hoofd zat, weghaalde. Zijn handen bewogen sneller en sneller en hij kon weer normaal ademhalen.

'Goed zo Duco, en nu ook de Oncie-Twocie.'

Die had hij gelukkig veel geoefend, en in een flits veranderde hij het ritme. Hij gooide de twee ballen bij iedere herhaling een stukje hoger op.

'Oké Duco, heel goed. Dank je. Je mag bij Faroque gaan staan. Toetie, jij bent aan de beurt.' Larry wees naar een klein blond meisje van een jaar of tien.

'Goed man,' fluisterde Faroque. 'Geef me een low five.' Hij hield zijn hand open op heuphoogte tegen zijn buik.

Hij gaf met zijn hand een zacht vegend klapje op Faroques hand. Gelukkig had hij op school gezien hoe een slow low five ging. Hij had niet één vriend met wie hij zoiets deed.

'Mooi werk, Toetie,' zei Larry. 'Je mag aan de andere kant, bij de beginners gaan staan. We splitsen de groep op in beginners en gevorderden.'

Moest die Toetie niet bij hen komen staan? dacht Duco verbaasd. Zelf was hij toch ook een beginner?

'Hoe lang jongleer jij al?' vroeg Duco aan Faroque.

'Een jaar of drie. Sinds mijn elfde.'

Binnen een paar minuten was de groep opgesplitst. Vijf kinderen kwamen nog bij de groep van Toetie. En niemand kwam bij Duco en Faroque.

'Phil, zou jij met de twee jongens met de basics verder willen gaan? Dan doe ik de grote groep,' zei Larry.

'Prima,' zei Phil. 'Heren, jullie gaan hier aan deze kant staan. Ik kom er zo aan.'

'Jij bent groot, man,' zei Faroque terwijl ze stonden te wachten. 'Je kan zo bij mijn combat-team komen.'

Duco keek hem niet-begrijpend aan.

'Je weet wel, man-tegen-mangevecht terwijl ieder drie kegels in de lucht houdt. Degene die de kegels het eerst laat vallen, verliest. Als jij tegen iemand aanloopt ben je gelijk klaar. Dat doen we vaak op jongleurconventies.'

Grappig, Faroque zei niks over zijn gewicht. Integendeel; dat was kennelijk een voordeel bij de combat. Vechten hoefde van hem niet, maar tegen elkaar aan lopen was meer een soort stoeien. Dat wilde hij wel proberen.

Ze begonnen met de basisoefeningen. Duco liet een paar keer zijn props vallen. Iedere keer maakte Phil een opmerking: 'Linkerhand was te ver naar voren. Kijk omhoog! Ellebogen bij je houden! Hou je balans op je hielen! Relax!'

Duco probeerde alles te onthouden, maar Phil maakte zoveel opmerkingen. Die vent zag echt alles.

Het waren fouten waarvan Duco niet eens wist dat hij ze maakte. En het ergste was nog dat hij steeds gelijk had. Want telkens als hij deed wat Phil zei, ging het meteen beter.

Faroque was echt goed. Hij deed gewoon alles wat Phil vroeg en het zag er heel soepel uit allemaal. Phil had ook bijna geen aanmerkingen op hem.

'Zo, nu zijn we echt goed los,' zei Phil na een uur. 'Dat waren de basics. Nu gaan we aan de specialiteiten werken. Een met de balletjes en een met de kegels. Larry, kan jij even helpen iets voor te doen?' riep hij door de zaal. Larry kwam op een drafje aangelopen.

'Gaat het goed mannen? Hebben jullie het een beetje naar je zin?' vroeg hij.

Duco kreeg een klap op zijn schouders.

Hij knikte. Jammer dat Larry hem niet coachte.

'We gaan kegels overgooien,' zei Phil. 'We beginnen ieder aan één kant met drie kegels. Je gooit ze niet omhoog, zoals normaal maar naar je partner aan de overkant. En je partner gooit zijn kegels naar jou. Dat is lastig want de kegels komen nu in een andere hoek op je af.'

Phil en Larry pakten ieder drie kegels en gingen tegenover elkaar staan. Het was een prachtig gezicht. De kleurige kegels vlogen met een mooi boogje door de lucht en maakten onderweg een keurige minisalto voordat ze in de handen van de ontvanger landden.

Op een teken van Phil stopte de stroom. 'Dank je, Larry,' zei Phil. 'Oké jongens, nu gaan jullie het doen. Kom tegenover me staan, dan oefenen we eerst het aangooien.'

Om de beurt gooiden Duco en Faroque een kegel naar Phil, die hem in een flits weer terugwierp. Hij gooide er even later een tweede bij, en ten slotte een derde. Ze stopten even als de drie kegels weer bij de jongens waren aangekomen.

Duco stond met zijn tong tussen zijn lippen te oefenen en had het enorm warm.

'Het gaat goed!' riep Phil. 'En nu het echte werk. Faroque, jij eerst.'

Faroques donkere ogen volgden de kegels als een laserstraal. Wat kon die jongen zich goed concentreren! Iedere keer als hij stopte met een oefening leek het alsof hij afdaalde van een andere planeet. Zijn jongleergezicht en zijn gewone gezicht verschilden als dag en nacht.

Toen was het Duco's beurt. Met twee kegels ging het aardig, maar Phil gaf hem geen tijd om na te denken. Hij voegde een derde kegel toe, en even later een vierde. Duco voelde zich opgejaagd. Zijn hart ging tekeer en zweet druppelde in zijn ogen, waardoor hij de kegels steeds waziger zag.

'Kom op Duco, vangen die kegels, je kan het best!' Hij kreeg bijna een kegel tegen zijn hoofd die Phil naar hem gooide. En nog een, en nog een. Hij draaide en bukte als een bokser, die een aanval in de ring ontwijkt. Met veel geraas stuiterden de kegels op de grond. Hij bukte zich om ze op te pakken. Het zweet druppelde van zijn gezicht op de grond.

'Duco, luister. Als ik begin met die kegels te gooien, focus je dan op één punt,' zei Phil. 'Als je dat doet, zorg ik dat ze op de goede plek komen.'

Dat was makkelijker gezegd dan gedaan. Het leken wel raketten die Phil naar hem toe gooide. En dan moest hij ze ook nog weer teruggooien. En dat met vier kegels. En dan ging die Phil ook nog zo tegen hem tekeer. Doodmoe werd hij ervan. Hij was hier toch voor zijn lol? Het leek wel of Gert-Jan met hem bezig was.

'Nog één keer, en dan gaan we wat anders doen. Concentreer je!' riep Phil.

'Kom op man, je kan het best,' riep Faroque.

Duco veegde zijn klamme handen aan zijn broek af en probeerde zich op Phil te concentreren. Die gooide één voor één kegels op hem af. Duco ving de eerste op en wierp hem met een boog terug naar Phil, en de tweede, en de derde, en de vierde. Dat ging even goed. Toen donderden de kegels weer op de vloer.

'Shit!' Duco's schreeuw galmde door de zaal. Hij smeet de laatste kegel die hij nog vasthad keihard op de grond.

Het geroezemoes in de zaal verstomde.

Hij schrok van de stilte en keek om zich heen. Wat had hij nou gedaan? Iedereen keek naar hem! Zonder iets te zeggen rende hij de zaal uit.

Op de gang rende hij naar het toilet. Hij rukte de deur open. Binnen draaide hij de kraan open en liet het water over zijn polsen stromen. Hij staarde in de spiegel boven de wasbak. Zijn gezicht was helemaal rood en bezweet en zijn haren zaten in pieken op zijn voorhoofd geplakt.

Wat had hij hier ook te zoeken? Hij kon er toch niets van. En dan zo'n afgang voor iedereen, waar

Yakima bij was! Wat een eikel was die Phil. Steeds maar pushen en roepen dat het sneller moest, en sneller.

Net als Gert-Jan. Die riep ook altijd, als een of andere religieuze fanaat, zijn heilige drie-eenheid aan: discipline, energie en focus. Moest je dan echt maf zijn om goed te worden? Misschien, maar als je nou niet goed genoeg was, zoals hij, dan werd je toch een grote frusto?

Hij zou nooit wennen aan dat geschreeuw. Hoe had hij ooit kunnen denken dat zijn vader trots op hem zou zijn als hij goed jongleerde? Hij was dik en lelijk, en hij had twee linkerhanden die niet eens een paar kegels konden opvangen.

'Duco?' galmde het buiten op de gang. 'Duco, gaat het een beetje?' De deur ging open en Larry kwam binnen. 'Hé, mijn vriend. Moest je even afkoelen? Je bent een echte emotionele artiest man, je schreeuw gloeit nog na in de zaal.'

Hij voelde tranen in zijn ogen opwellen.

'Het ging gewoon zwaar waardeloos en die Phil maakt me gek. Ik kan er gewoon niets van...' Duco veegde met zijn arm de tranen van zijn gezicht.

Larry keek hem peinzend aan in de spiegel. 'Je hebt gelijk. Ik denk dat ik een enorme fout heb gemaakt. Je past totaal niet in de gevorderdengroep. En inderdaad, als je na een paar weken oefenen nog niet met vier kegels kan overgooien, dan ben je een enorme loser. Ik heb een idee. Kom morgen bij de winkel langs en geef je props terug. Krijg je van mij al je geld terug. Kan je weer doorgaan met je zielige leventje.'

Wat zei Larry nou? Hij was een loser en moest acuut stoppen met jongleren? Duco zag aan Larry's ogen dat hij echt boos was. Meende hij dat echt? Hij kon toch nog wel íéts? Hij kon het toch met drie kegels? Hoe moest hij dan zorgen dat Gert-Jan trots op hem kon zijn? En wie was Larry om te besluiten dat hij moest stoppen? Dat deed hij toch echt zelf! Hij zette zijn kwaadste blik op en staarde terug naar Larry.

Even stonden ze in de spiegel naar elkaar te staren. Ineens zag Duco dat er lichtjes in de ogen van Larry dansten.

'Grapje!' riep Larry ineens en hij pakte Duco bij zijn schouders. 'Maar nu even serieus, Duco. Ik had je toch gezegd: jij hebt T-A-L-E-N-T! En dat heb ik vandaag gezien. Je realiseert je toch dat Faroque, die al jaren bezig is en best goed is, net met maar drie kegels oefende?'

Ja, daar had Larry gelijk in. Phil had hem zo erg opgejaagd dat hij helemaal niet aan Faroque had gedacht.

'Maar waarom is hij dan zo streng tegen mij en niet tegen Faroque?' vroeg Duco.

'Iedereen heeft zijn stijl van lesgeven. En Phil heeft zijn eigen bedoelingen, daar kom je vast nog wel achter. Jongleren gaat niet vanzelf, je zal er al je inzet en energie hard voor nodig hebben. Phil probeert je daarmee te helpen.

Duco rilde even. Ergens had Larry gelijk. Hij had per slot van rekening al met vier kegels kunnen gooien. Ook al was het maar heel even. En als...

'Kom op Duco, we gaan weer door met de specialties. Na de lunch wordt het pas echt leuk: dan gaan we een showtje bouwen en dan doe ik ook mee.' Larry hield de deur naar de gang open.

9

De lunchpauze kon Duco goed gebruiken om even bij te komen. Hij zat met Faroque op een bank een broodje te eten. Yakima liep door de zaal met een stokbroodje en een flesje water.

'Moet je kijken wat een lekker ding.' Faroque stootte Duco aan. 'Ze is strak, man! Als ik daar een keer een avondje mee uit mocht, nou dan wist ik het wel.'

'Dat is gewoon Yakima,' zei Duco zo luchtig mogelijk. 'Ze zit bij mij op school en ze is heel aardig.'

Yakima zag dat de twee jongens naar haar keken en liep op ze af.

'Man, ze komt naar ons toe,' piepte Faroque.

'Hoi jongens, hoe gaat het?' Met een pirouette liet Yakima zich naast Duco op het bankje vallen.

Duco zou een gevatte opmerking willen maken, zodat ze om hem moest lachen. Of haar vertellen van zijn gesprek met Larry. Maar hij staarde krampachtig naar het kuiltje onder aan haar hals. Haar groene ogen hadden alle gedachten uit zijn hoofd gehaald. 'Best,' zei hij daarom maar.

'Super! Wij hebben een paar megamoeilijke oefeningen gedaan,' zei Faroque. 'We kunnen al vier kegels hoog houden. En Duco kreeg even boksles van

Phil.' Hij smeet die kegels gewoon naar zijn hoofd! Tak, tak, tak – als kogels uit een mitrailleur.' Faroque lachte.

'Dát had ik willen zien!' Yakima liet zich lachend achterovervallen.

Bewonderend keek Duco naar Faroque. Als hij toch eens zo'n soepele tekst kon produceren...

'Bij ons ging het ook lekker.' Yakima nam een grote hap uit haar stokbroodje. 'We zijn alvast aan de show begonnen. Jammer dat je niet ook acrobatiek doet, Duco, dan konden we samen iets doen.'

Hij zag het al voor zich, zij met zes flikflaks stuiterend op de vloer en dan met een salto boven op zijn schouders landen. En dan hield hij haar met één hand in de lucht. Had hij nog één hand over voor een jongleeract... Hij voelde dat hij rood werd van de gedachte alleen al.

'Misschien heb ik een ideetje,' zei Yakima.

'Wat voor ideetje?' vroeg Duco.

Yakima liet zich half over Duco's schoot vallen en keek hem geheimzinnig glimlachend aan. Hij rook die heerlijke kokosgeur weer.

'Verrassing, straks. Ik ga het eerst even met onze coach en Larry bespreken.' Ze steunde op Duco's schouder en duwde zich met één hand overeind. 'Later!' zei ze en liep weer naar de acrobatenkant.

'Zag je dat, man?' riep Faroque. Hij stootte Duco aan. 'Die is helemaal gek van je. Je kan haar hebben! Man, ik ben jaloers.'

'Helemaal niet, ze is gewoon heel aardig. Ik ken haar trouwens net en Tom is haar vriend.'

'Echt niet. Ze valt op jou, dat zie ik zo.' Faroque gaf Duco een vette knipoog. 'Ze is echt mooi.'

'Ik ben heus niet blind hoor.' Hij kon Faroque wel een klap geven. Die jongen had geen respect voor Yakima. Het leek net alsof hij over een ding praatte in plaats van over het mooiste meisje van de wereld.

'Oké kids.' Larry klapte in zijn handen. 'We gaan weer door. We gaan onze eigen acts oefenen en straks brengen we er een paar bij elkaar. Aan de slag!'

Larry bleef nu bij de jongleurs en Phil liep bij de acrobaten rond.

Duco en Faroque hadden een act waarbij ze in het eerste deel tegelijk hetzelfde deden met vier balletjes en daarna een korte oefening met kegels.

'Synchroonballen, net als schoonzwemmen op de Olympische Spelen,' riep Duco. Hij zette een wasknijper op zijn neus, net als schoonzwemsters, en stond zo even te jongleren.

Faroque vond dat zo grappig dat hij op de grond viel van het lachen en vijf minuten geen bal meer kon aanraken.

Het tweede deel deden ze ook samen, nu met de kegels. Ze oefenden de overgooi-act met drie en ook met vier kegels. Faroque kon het ook met vier. Morgen zouden ze zien of het er drie of vier werden.

'Duco, probeer die kegels eens iets meer te draaien voordat je ze gooit,' zei Larry.

Hij probeerde wat Larry had gezegd; het ging direct makkelijker.

'Goed zo, houden zo!' riep Larry. 'En als je nu ook iets meer rechtop gaat staan, zal je zien dat het nog beter gaat.'

Duco zweette als een otter van de inspanningen. Hij veegde met zijn arm over zijn gezicht. Wat een verschil maakte het of Larry of Phil coachte. Die Phil was echt een pitbull.

Af en toe keek Duco naar de andere kant om te zien hoe het met Yakima ging. Meestal stond ze in de meest onmogelijke posities en kon ze hem niet zien. Één keertje wel en toen zwaaide ze even naar hem.

'Hooggeëerd publiek, mag ik jullie aandacht voor een paar schitterende nummers?' Larry stond in het midden van de zaal en iedereen zat op bankjes langs de kant. Ze waren aangekomen bij de repetitie voor de minishow.

'We beginnen met de Minivlinders, een groepje jeugdige acrobaten. Al op deze jonge leeftijd tarten ze de wetten van de zwaartekracht.

Dan twee talenten van het jongleervak: Master Faroque en onze nieuwste aanwinst, de supergetalenteerde Duco X-ballZ!

En tot slot een acrobatenact met drie atleten, die een mooie carrière in het circus tegemoet gaan: Flex4ever met Tom, Felicia en Yakima! Geef ze een applaus!'

Iedereen klapte alsof ze in een echt circus zaten. Duco's hart klopte zo hard alsof hij een flatgebouw van tien etages aan het beklimmen was. Hij ging eindelijk optreden! Dit was wat hij zo graag wilde.

Hij zag weinig van de act van de jonkies die met veel lawaai en gegil in het rond stuiterden. Stel dat zijn act een fiasco werd? Hij was pas een paar weken bezig. Hij keek naar het groepje kinderen dat niet meedeed met de show. Hij liefst zou hij ertussen gaan zitten. Lekker veilig, hoefde je alleen te klappen. Straks moest hij voor het oog van twintig man zijn ding doen. Als hij maar niets liet vallen. Hij keek snel naar Yakima, die teruglachte.

Tot overmaat van ramp had ze met Larry als verrassing bedacht: de acrobaten zouden aan het einde van zijn act met Faroque alvast als grote wagenwielen arabierend om hen heen gaan draaien. Dat zou een mooie overgang zijn naar de acrobatenact.

Het applaus klonk weer, de act van de jonge acrobaten was afgelopen. Duco schrok op uit zijn gedachten.

'Kom op Duco,' zei Faroque, 'we gaan ze even een poepie laten ruiken.'

Duco haalde diep adem en liep naar het midden van de zaal. De jongens gingen tegenover elkaar staan.

'Oké jongens, begin maar,' riep Larry. Hij knikte bemoedigend naar Duco.

Duco keek naar Faroque, die met een knikje liet weten dat hij klaar was. Ze begonnen met het overgooien van de kegels. Gelukkig deden ze het maar met drie, want Duco had geen zin om weer een kegel tegen zijn hoofd te krijgen. Hij hield zijn ogen strak gericht op een plek boven Faroque.

'Hoppa!' riep Faroque.

Dat was het teken voor de laatste opgooi al. Wat ging de tijd snel.

Onder het applaus legden de jongens de kegels

neer en pakten ze de balletjes voor het tweede deel van hun act.

Duco keek weer naar Faroque en na zijn knikje gooide hij de eerste bal, direct gevolgd door de tweede. Binnen een paar tellen zweefden er vier balletjes in de lucht. Hij hoorde de balletjes zacht ploffend door zijn handen gaan.

'Hoppa,' riep Faroque.

Even keek Duco snel opzij. Dat was het teken om met de balletjes te gaan lopen. Ze kruisten elkaar langzaam op een meter afstand. Duco wist dat het vanaf de zijkant leek of de balletjes door elkaar stroomden. Heel in de verte drong er applaus tot hem door.

'Hoppa!' klonk het weer. Het teken voor de wisseling van de patronen. Nu maakte Duco een cascadepatroon.

Tom verscheen al arabierend in zijn beeld, gevolgd door Felicia, en twee tellen later schoof Yakima in beeld. Hij volgde haar lange gespierde benen die door de lucht zweefden. Ondersteboven staand keek ze hem lachend aan.

Ineens floepte er een bal uit de stroom. Nee hè, waren ze bijna aan het einde gebeurde er dit. Hij volgde verbaasd het balletje dat zich in slow-motion van hem af bewoog. Hij besloot de overgebleven drie op te vangen en tegelijk gaf hij de verloren bal een trap zodat hij bijna tegen het hoge plafond aan schoot. Hij keek snel opzij naar Faroque, die zijn act normaal eindigde en zijn armen triomfantelijk spreidde.

Het publiek begon te klappen en te joelen en met de voeten op de grond te trappelen.

Faroque stond met een brede grijns op zijn gezicht te stralen. Hij stak zijn hand op en Duco kletste er een harde high five tegen aan. Ze bogen voor het publiek. Langzaam liepen ze naar Larry toe.

'Goed gedaan jongens, heel goed.' Larry gaf ze alle twee een high five. 'Oké Flex-4ever, ga maar direct door.' Larry ging zitten en hij gebaarde dat Duco en Faroque ook moesten gaan zitten.

Duco bleef staan. Hij voelde zich veel te goed om suf te gaan zitten. Hij kon de marathon lopen of een berg beklimmen, of zoiets.

Nog nagonzend staarde hij naar de act van Flex-4ever. Tom fungeerde als basis. Felicia was klein en tenger en sprong als een stuiterbal nu eens op Yakima en dan weer op Tom. Op een gegeven moment klom ze zelfs op de schouders van Yakima, die op de schouders van Tom stond. In haar witte pakje leek ze net een toefje slagroom op de acrobatentaart.

Maar vooral keek hij naar de bewegingen van Yakima. Zoals zij zich bewoog in haar strakke zwartgouden outfit. Hij kreeg het er warm van.

Aan het einde van de show brak het applaus los. Duco klapte zijn handen zo hard op elkaar dat ze er pijn van deden. Hij voelde zich duizelig en ademde een paar keer diep in en uit.

'Jongens en meisjes,' riep Larry. 'Dit was het dan weer voor vandaag. Phil en ik willen je bedanken voor de inzet en het plezier. Morgen ontmoeten we elkaar om twaalf uur op het Heinekenplein in de stad. Daar gaan we zien of jullie voor echt publiek nog steeds zo goed zijn als vandaag. Geef jezelf een applaus en tot morgen.'

Iedereen applaudisseerde en begon door elkaar heen te lopen om alle spullen op te ruimen die in hopen langs de kant van de zaal lagen.

'O ja Duco, jou willen we nog even apart spreken. Heb je nog vijf minuten? Loop maar mee,' vroeg Larry.

Hij knikte en liep achter Larry en Phil aan. Waarom zouden ze hem willen spreken? Zeker vanwege die bal die hij had laten vallen. Hij mocht morgen vast niet meer meedoen.

Ze liepen via de gang naar een kamertje direct naast de zaal. Phil en Larry gingen zitten. Duco bleef staan.

'Ga even zitten Duco,' zei Phil. 'Ik zal meteen met de deur in huis vallen. Ik loop geen stage bij Larry. Ik ben een talentenjager voor de circusschool. Ik stel me voor als hulpje, want anders worden de meeste kinderen zenuwachtig.'

Duco's mond viel open. Wat deed zo'n man nou bij een workshopje met kinderen? En waarom wilde hij met hém praten? Hij kon beter met Faroque of Yakima gaan praten, die waren tenminste echt goed.

'Larry had mij gevraagd naar je te komen kijken,' zei Phil. 'Hij vertelde me dat je goed was, of eigenlijk heel erg goed.'

Larry knikte.

'Om een lang verhaal kort te maken,' vervolgde Phil, 'wil ik je namens de circusschool uitnodigen om over een paar maanden een officiële auditie te doen. Als je daarvoor slaagt, biedt de school je een volledige beurs aan. Alles is gedekt: boeken, trainingen van de beste artiesten, medische kosten... alles.'

Duco likte zijn droge lippen. Een beurs om te gaan jongleren? Van die blaffende hond?

Larry gaf hem een duwtje. 'Nou, zeg eens wat, Duco. Wat vind je ervan?'

'Ik, ik weet niet goed wat ik moet zeggen,' stamelde Duco. 'Ik begrijp het ook niet goed. Ik verloor mijn balletje aan het einde van mijn act... En ik kreeg vanochtend alleen maar commentaar...'

Phil stak zijn hand op. 'Sorry, sorry, sorry, dat is mijn schuld. Ik wilde je testen, kijken of je echt besmet bent met het jongleervirus. Want dat is het. Als je het eenmaal hebt, kom je er niet meer vanaf. Ik vind het niet echt leuk om te doen, maar ik moet zeker zijn van iemand, voordat ik hem uitnodig.'

'En jij wist ervan?' riep Duco ineens naar Larry.

Larry knikte. 'Ik zei het toch al eerder Duco. Je hebt T-A-L-E-N-T!'

'Je hoeft nu nog niks te zeggen of te beslissen,' zei Phil. 'Denk er vanavond over na en wacht even met het tegen je ouders te zeggen. Het kan nogal een schok zijn om zoiets te horen. Het is namelijk een school waar je ook gaat wonen. Dat betekent dat je tijdens het schooljaar niet thuis woont. Ik wil het graag samen met jou aan ze voorstellen. Dan kunnen we ook alle details met ze bespreken.'

Duco knikte.

'Maar...' Phil stak zijn vinger op, 'om door de auditie te komen moet je de komende tijd nog heel veel oefenen. Je bent goed, maar je moet nog veel beter worden om erdoor te komen.'

'En nu gaan we naar huis,' zei Larry. Hij sprong op en stak zijn hand in de lucht. Duco mepte er een high five op.

Terwijl Duco de gang op liep, stak er ook een beer de weg over. Niet meer thuis wonen? Hoe ging hij dat aan Ilse en Gert-Jan vertellen? Zouden die het goed vinden? Hij was hun enige...

'En Duco, alles goed? Ben je blij?' Yakima stond bij de ingang van de zaal met een vrouw. Duco wist direct wie het was; dezelfde prachtige ogen die hem vriendelijk aankeken. Alleen zaten er bij haar een paar rimpeltjes omheen; dezelfde vrolijke mond, die naar hem glimlachte.

'Dit is mijn moeder, Mam, dit is Duco,' zei Yakima.

Voordat Duco Yakima's moeder een hand kon geven, pakte Yakima zijn arm vast.

'Voorzichtig, mijn moeder is al wat ouder hoor!' zei ze.

'Nou Yak, ik ben niet van porselein hoor,' zei Yakima's moeder. 'Hallo Duco, Yakima had me net al over je verteld.'

Hij gaf haar voorzichtig een hand. 'Dag mevrouw.'

'Ik heet trouwens Kiki.'

'En, ga je het doen?' vroeg Yakima. Ze stond ongeduldig op en neer te hoppen. 'Heeft Phil je gevraagd?'

'Hoe weet jij dat nou?' Duco keek haar verbaasd aan.

'Makkelijk toch? Drie maanden geleden was Phil hier ook en die heeft me 's ochtends ook eerst lopen afzeiken en 's avonds een auditie aangeboden. En aangezien jij vanochtend aan de beurt was...'

'En jij mag van je moeder?' Duco keek Kiki aan, die een arm om Yakima heen sloeg.

'Ik zal haar heel erg missen,' zei Kiki, 'maar het is de beste school die er is. Als je die afmaakt, heb je de meeste kans op een job als artiest. Ik had het vroeger heel wat moeilijker om werk te vinden.'

Duco's oren klapperden. Was de moeder van Yakima een artiest geweest? Die in het circus had gewerkt? Dat was echt strak!

'Ik was acrobaat en reisde de hele wereld rond. Helaas was mijn rug al vroeg versleten. De begeleiding van toen...' Kiki staarde even voor zich uit en haalde diep adem. 'Maar dat is verleden tijd. Kom Yak, ga je mee naar huis? Je zal wel honger hebben.'

'Mam, mag Duco gezellig mee-eten?' vroeg Yakima. 'Please, please, please?' Ze liet zich met gevouwen handen dramatisch op haar knieën vallen voor haar moeder.

Kiki duwde haar lachend omver. 'Je weet toch dat onze deur altijd open staat voor jouw vrienden? Duco?'

Meegaan met Yakima? Duco's hart maakte een sprongetje van verrassing. Ze had hem niet eens iets gevraagd. Hij was nog nooit met een meisje mee naar huis geweest. Hij wilde schreeuwen dat hij graag meeging. Maar... als hij bij haar thuis was, waar moesten ze dan in hemelsnaam over praten? Wat moesten ze dan doen?

'Ik heb aan mijn moeder beloofd dat ik thuis zou eten,' zei hij zacht. Hij kon zichzelf wel een stomp geven.

'Dan niet,' riep Yakima en draaide zich om. Hij zag haar weglopen. Ze was natuurlijk beledigd.

'Nou Duco, leuk je te hebben ontmoet. Tot ziens dan maar, zullen we maar zeggen?' zei Kiki. Ze stak haar hand op.

Tot ziens? Het was eerder een vaarwel. Yakima ging hem vast niet nog een keer meevragen.

Duco slofte naar zijn spullen, die onder een tafel in de zaal lagen. Hij pakte zijn jongleerballetjes en smeet ze in zijn tas. In de laatste kneep hij zo hard dat de botjes in zijn hand er pijn van deden.

'Het was ook wel heel spontaan,' klonk het ineens achter hem.

Verrast keek hij om: Yakima!

Ze gaf hem een geel papiertje.

'Hier, mijn mobiele nummer. Kunnen we vanavond gezellig teksten. Stuur je me een berichtje straks? Tot morgen!' Yakima klopte even op zijn rechterbil en met een sierlijke sprong zweefde ze de zaal uit.

Sprakeloos bleef Duco achter.

Pas buiten op straat realiseerde hij zich wat er gebeurd was. Langzaam verdween het gemiste-kansgevoel. Hij had niets te klagen. Morgen zag hij Yakima weer, ze had hem haar nummer gegeven en hij mocht auditie doen voor de circusschool! Hij begon over het trottoir te huppelen. De circusschool! Daar had hij nooit aan gedacht. Hij wist niet eens dat zoiets bestond. Aan de andere kant, er bestonden ook scholen om balletdanser te worden, of acteur. Dan was het ook logisch dat er zoiets als een circusschool bestond.

'We doen morgen een voorstelling in de stad,' zei Duco tijdens het avondeten. Hij stak een frietje in zijn mond. 'Ik doe een act samen met Faroque, een jongen die ik ontmoet heb op de workshop. Hij is echt goed.'

'Een voorstelling op straat? Dat is snel,' zei Gert-Jan. 'Benieuwd hoe dat eruitziet.'

'Wat leuk schat,' zei Ilse. 'Mogen papa en ik komen kijken?'

Hij knikte. Als Gert-Jan zou zien wat hij allemaal had geleerd in de afgelopen weken... Hij sloot zijn ogen even. En dan na afloop een compliment van hem krijgen. Maar wat als het misging? Hij had nog nooit in het echt opgetreden.

'Je gaat er toch geen geld voor vragen?' vroeg Gert-Jan. 'Het moet wel leuk blijven.'

'Laat die kids dat zelf maar uitmaken, of hun coaches, Gert-Jan,' zei Ilse. 'Wij komen kijken hoor, Duco. En we zullen stil in een hoekje gaan staan om je niet uit je concentratie te halen.'

Dat scheelde misschien wel. Hoewel, als er geen hond kwam kijken naar hun show, waar moesten ze zich dan achter verschuilen?

Hij lag te denken aan de act die hij morgen ging opvoeren. Iedere handeling repeteerde hij in zijn hoofd, tekens weer opnieuw. Tussendoor speelde hij met zijn mobieltje. Ging hij het wel doen, ging hij het niet doen? En wat moest hij nou teksten?

Om middernacht hield hij het niet meer. Hij ging Yakima een bericht sturen. Wat kon het hem ook schelen.

< Kan niet slapen van de spanning... jij? Gr Duco >

< Lig te stuiteren. Wish u were here. Y > tekstte Yakima binnen twee tellen terug.

Duco voelde dat hij kleurde in het donker. Meende ze dat nou echt?

< Schapen tellen dan maar > tekstte Duco terug. Hij had meteen spijt. Waarom kon hij geen normaal antwoord geven?

< Of krokodillen! :-) > antwoordde Yakima.

Zie je wel, nu ging zij ook grappen maken.

< Zou leuk zijn geweest als ik mee was gegaan... > tekstte Duco. Hij wilde zichzelf wel een high five geven van trots. In het echt had hij in geen honderd jaar zoiets durven zeggen.

< Morgen... toch? > antwoordde Yakima.

Hij liet zich terugvallen in zijn kussens om na te denken. Waarom vond Yakima hem eigenlijk leuk? Hij was toch een veel te dik brugklassertje? En meiden vielen toch altijd op oudere jongens, zoals die stoere Tom? Straks was ze bezig om hem eerst gek te maken! Als een soort sadistische oefening. En dan liet ze hem later vallen als een steen die in een ravijn wordt gegooid. De hele school zou zich suf lachen om zijn onnozelheid.

< Waarom ik? > durfde hij ineens te teksten. Ze kon zijn rooie kop toch niet zien. Beter nu een dom-

per dan later uitgelachen te worden. Trouwens, ze hóéfde niet te antwoorden.

< Lekker stevig... voelde zo veilig toen ik je vasthad :-) > kwam er terug. Duco viel bijna uit zijn bed van verbazing. De rode vlammen sloegen nu over van zijn wangen naar zijn rug. Zou ze dat echt menen? Ze kon zoveel zeggen.

< Echt waar?... had geen idee... > Duco verzond het berichtje. Hij voelde zich een beetje sukkelig, net alsof hij naar een complimentje zat te vissen.

< Daarom juist... je weet het zelf niet. De meeste jongens scheppen alleen maar op!!! >.

< En Tom dan? >

< Tom is ook breed! Maar hij vindt alleen jongens leuk :-)))) >

Duco liet zich opgelucht achterovervallen. Dát had hij niet gezien.

< En ik? > vroeg Yakima even later.

Duco krabde even in zijn haar. Wat was er niet geweldig aan haar? Hij kon toch moeilijk teksten dat ze de mooiste was die hij ooit had gezien. Dat klonk zo banaal.

< Slim... en je ruikt heerlijk!!! >

< Mmm... dank u! Maar ben ik niet mooi???? >

< De allerallermooiste!!! > durfde Duco nu wel te zeggen.

< Dacht al dat ik iets miste ;-) >

Duco schrok op uit zijn sms-gedachtenstroom. Hij hoorde Ilse en Gert-Jan naar bed gaan. De wekkerradio stond op één uur. Hij moest echt gaan slapen, anders was hij morgen een natte dweil.

< Welterusten X > tekstte hij ineens. Die kus was nog maar digitaal. Als hij haar toch eens in het echt... Eerst moest hij die rode vlekken in bedwang krijgen. De lakens plakten aan alle kanten aan hem vast. Maar dat kon hem nu even niets schelen. Morgen zag hij wel wat er ging gebeuren.

Hij legde zijn telefoon op zijn nachtkastje. Hij had vast zijn hele beltegoed erdoorheen gejaagd. Dat kon hem ook niets schelen.

Even later lichtte het scherm weer op: < Trusten X >

Duco trapte lachend het dekbed van zich af en rolde zich op. Pas nadat hij de kerkklok drie uur had horen slaan, viel hij in slaap.

10

Hij stond midden in een circuspiste tot aan zijn kuiten in zand dat naar paardenmest rook. Lichten, feller en warmer dan de zon, verblindden zijn ogen. Het publiek joelde en klapte langzaam. Hij voelde zich opgejaagd en zijn hart klopte steeds wilder. Hij probeerde zich ervoor af te sluiten en concentreerde zich op de vijf felroze kegels die hij stevig omklemde. Harde rapmuziek knalde uit de speakers.

Stukje bij beetje zakte hij in het zand, dieper en dieper; de kegels wogen zwaar als lood, veel te zwaar om in de lucht te gooien. Zo kon hij niet met zijn act beginnen. Wat moest hij doen? De lucht voelde dik aan, en een voor een glipten de kegels uit zijn vochtige handen. De balletjes, flitste het door zijn hoofd. Dat ging altijd goed. Hij haalde er vijf uit zijn broekzak en gooide ze een voor een omhoog. In plaats van met een mooi boogje in zijn andere hand te belanden, stegen de balletjes op tot in de nok van het circus en bleven daar hangen.

Het publiek klapte sneller en joelde harder; het licht werd feller en feller...

Met een schok werd hij wakker. Hij knipperde met zijn ogen in het felle licht van de zon die al door een spleet naar binnen scheen. Hij wiste het zweet van zijn voorhoofd. Wat een vreemde droom was dat weer. Hoe kon je nou in een piste wegzakken, er lag toch maar een dun laagje zand?

Het was half elf op zijn wekkerradio. Hij moest nog opschieten, anders was hij te laat op het plein. Hij sprong uit zijn bed en deed de gordijnen open. Op straat was het nog rustig. Iedereen sliep natuurlijk lekker uit op zondagochtend.

Hij sprong nog even op de weegschaal. 90,1 kilo. Ongelofelijk, jaren was hij zwaarder en zwaarder geworden en nu vloog het er vanaf. Nog vijf kilo, dan was hij lichter dan Gert-Jan.

Duco douchte en kleedde zich snel aan. Hij deed zijn combat-broek aan. Die zat nu zo wijd dat zijn riem een gaatje strakker moest. Toen een T-shirt met een vest erover en gympen. Allemaal zwart. Zwart was stoer om in op te treden. En ook al was hij afgevallen, in het zwart leek je gewoon minder dik.

Beneden in huis was het nog stil.

Nadat hij haastig wat yoghurt en een appel had gegeten, schreef hij een briefje:

De minishow begint om 13.00 uur.
Op het Heinekenplein.
Tot straks kuzz Duco X-BallZ

Hij wilde net de deur uit gaan toen Ilse beneden kwam.

'Gelukkig, je bent er nog. Wat zie je er stoer uit! Kom eens hier, mannetje van me!' Ze trok Duco tegen zich aan. 'Ga je veel plezier maken vandaag? Zo leuk dat je eens iets met andere kids doet.' Ze gaf hem een kus.

Duco wurmde zich los. Dat geknuffel ook altijd. Ze rook nog helemaal naar slaap en hij had haast. 'Het is geen spelen, ma. We treden op; dat is iets heel anders.'

'Ik snap het,' zei Ilse lachend. 'Ik zie je straks met papa oké?'

'Dag, tot straks!' Duco pakte zijn props-tas, stormde het huis uit en rende naar de tramhalte.

De tram was er snel en reed bijna zonder te stoppen naar het Heinekenplein. Hij was veel te vroeg, en als eerste aankomen, daar had hij geen zin in. Hij stapte expres twee haltes voorbij de oude bierbrouwerij uit en wandelde langzaam terug naar het plein. Dat scheelde weer tien minuten.

In zijn broekzak trilde zijn mobieltje met een sms'je.

< Ben onderweg. Zie ik je zo op het plein? X Yak >

< Ben r zo!!!! 5- > tekstte Duco terug.

Aan de rand van het plein bleef hij staan. Zijn ogen dichtknijpend tegen de felle zon speurde hij als een indiaan met adelaarsblik het plein af. Er zaten al aardig wat mensen op de terrassen koffie te drinken of te ontbijten.

Op een bankje in het midden van het plein zat een

jongen met gebogen schouders en de capuchon van zijn felgroene trainingsjack op zijn hoofd. De jongen draaide zich om. Duco's adem stokte... Brian!

Snel stapte hij opzij achter een windscherm van een terras. Gelukkig had Brian hem niet gezien. Wat deed die nou hier op zondagochtend? Met hem in de buurt ging hij mooi het plein niet op. Hij was het busincident vast nog niet vergeten. En als er geen leraren bij waren zag hij vast zijn kans schoon. Stond die gek straks weer met zijn mes te zwaaien.

Na een paar minuten gluurde Duco voorzichtig weer om het windscherm heen. Brian was in geen velden of wegen te bekennen. Gelukkig, die was weg. Hij hield zich zeker nog tien minuten schuil achter het windscherm en slenterde toen langzaam naar de bankjes.

Ineens viel iemand hem van achteren aan! Hij kreeg een enorme klap op zijn rug. Het was alsof een grote kat op zijn rug sprong die zijn poten direct om zijn nek sloeg. Duco sloeg half voorover, maar wist zijn evenwicht nog net te bewaren. Hij draaide wild in het rond om de kat af te schudden, die zich stevig vasthield.

'Raad eens wie er is?' fluisterde een zachte stem in zijn oor.

Al zijn nekhaartjes gingen overeind staan van plezier en zijn hart sloeg op hol.

'Yakima!' riep hij blij.

'Goeiemorgen Duco! Mooi opgevangen, die sprong van mij. Straks kan je nog meedoen als sterke man in onze act.' Ze liet zich soepel van zijn rug af glijden en ging voor hem staan. 'Je ogen zien eruit of ze een spook hebben gezien. Is er iets?'

'Nee, niks aan de hand. Je verraste me, dat is alles.'

'Dat was de bedoeling ook!' schaterde Yakima. 'Kom, dan gaan we bij de bankjes zitten, daar verzamelen we.'

Achter hen toeterde een auto. Het was Larry, die in een ouderwetse roze pick-up truck, met bolle spatborden en banden met witte zijkanten, aan de rand van het plein stond. Op de zijkleppen van de laadbak stond met gouden verf het logo van de jongleerwinkel. Hij zwaaide met zijn arm uit het raampje en reed met zwaar ronkende motor langzaam het plein op.

'Goooooooood morning!' riep Larry vanuit de auto, 'volg mij naar het circus!' Duco en Yakima liepen achter de auto aan.

Larry parkeerde de auto aan de zijkant van het plein. Hij sprong in de laadbak, waaruit hij twee trechtervormige speakers trok die hij op het dak van de cabine zette. De elektriciteitsdraden liepen door het open raampje de cabine in. Larry sprong van het dak af en veegde zijn handen schoon.

'Het zwaarste hebben we gehad. Nu hebben we ten minste muziek. Koffie dan maar? Kom jongens, ik trakteer.'

Ze liepen naar een van de terrassen en gingen zitten. Duco zette zijn props-tas naast zich op de grond. Ze bestelden alle drie een cappuccino.

'Heb je er zin in vandaag, Duco?' vroeg Larry.

Duco knikte.

'Zenuwachtig?' vroeg Yakima.

'Een beetje kriebels in mijn buik,' gaf Duco toe.

'Ik ben nog steeds voor ieder optreden gespannen. Dat gaat nooit over,' zei Larry. 'Maar je kan er wel mee leren omgaan. Kijk, je hebt positieve en negatieve spanning. Negatief is dat je helemaal niets meer weet of kan. Dat je bijvoorbeeld moet paardrijden en dan achterstevoren op het paard gaat zitten.'

Duco zag het al voor zich. Achterstevoren op een paard en dan in volle galop door het bos.

'Maar positieve spanning helpt je om je te concentreren op de dingen die je moet doen. Je zit dan als het ware als een vlinder in je eigen coconnetje. En die cocon houdt alle zaken die afleiden tegen. Dat soort spanning is dus goed. Vooral als je gevaarlijke dingen doet, zoals acrobaten. Als je die spanning niet meer voelt, loop je meer gevaar omdat je dan roekeloos kan worden. En als het showtime is, dan komt de vlinder uit zijn cocon en laat zien wat een mooie vlinder hij...'

Iemand rende keihard langs het terras en griste in het voorbijgaan de props-tas van Duco van de grond.

'Mijn tas!' schreeuwde Duco. 'Hij steelt mijn tas!' Hij sprong op, maar Larry was hem voor.

Larry liet zijn koffiekopje vallen en schoot als een raket uit zijn stoel. De stoel klapte met een knal achterover op de grond. Sneller dan een hazewindhond rende hij achter de dief aan. Bij de rand van het plein had hij hem al ingehaald. Als een American footballspeler tackelde hij de dief van achteren. Met een smak sloegen ze tegen de grond. De gifgroene capuchon gleed van het hoofd van de dief. Larry landde boven op hem.

Snuivend van woede kwam Duco aangerend. De dief lag te kreunen op de grond.

Duco herkende hem direct. 'Brian, vuile dief!' Hij wilde Brian een schop geven.

'Ho ho Duco, rustig aan!' riep Larry. Hij hield Duco's been met zijn arm tegen.

'Goed zo Duco, pak hem aan!' riep Yakima, die ook kwam aangerend.

Larry zat gehurkt op Brian en draaide hem op zijn rug. Brian hield met zijn linkerhand zijn rechterpols vast. Hij bewoog langzaam zijn vingers.

'Als hij verdomme wéér gekneusd is,' begon hij te gillen.

Larry legde zijn hand op Brians mond. 'Stil maar even, er is niks aan de hand. Zo is het goed. Goedemorgen meneer, ik ben Larry. En hoe heet jij?'

Brian begon te spartelen, maar Larry hield hem stevig vast.

'Brian heet hij en hij zit bij mij in de klas,' zei Duco.

'Ik vraag het aan hem, Duco. Even rustig,' zei Larry. Hij haalde zijn hand van Brians mond. 'En wat brengt jou zo vroeg onder de mensen vandaag?'

'Rot op man, laat me gaan. Je hebt je tas toch terug?'

'Dat zou te makkelijk zijn. Nee, ik vrees dat we nog niet klaar zijn met jou,' zei Larry met een geamuseerde blik in zijn ogen. 'Weet je wat er in die tas zit?'

'Interesseert me geen bal.'

'Goed geraden! Om precies te zijn jongleerspullen. Jij probeerde de props van Duco te jatten. Zonder spullen kan hij straks niet optreden.'

'Optreden?' Brian keek verrast naar Duco. 'Die Gummi Beer, die vecht als een achterbaks wijf?'

'Een beetje respect meneer. Dit is een van de meest getalenteerde jonge jongleurs van dit moment.'

'Met de snelste handen van de wereld,' vulde Yakima aan.

'Zal wel. Mag ik nu gaan?' vroeg Brian.

'Nee, geen sprake van,' zei Larry beslist. 'We gaan de politie erbij halen.'

Brian kromp in elkaar. 'Niet de politie. Als mijn vader dat hoort word ik pas echt in elkaar geslagen. Ik ben al beurs genoeg.' Hij keek Larry smekend aan. 'Alsjeblieft, hij heeft zijn tas toch terug?'

'Ik heb een idee,' zei Larry. 'Jij gaat ons vanmiddag helpen. Jij mag onze assistent zijn. En als je héél goed je best doet vergeten we de politie.'

Larry stond op en trok met twee handen Brian met zich mee omhoog zodat zijn voeten van de grond kwamen. Als een zandzak bungelde de jongen tegen hem aan.

'Mag ik staan, alsjeblieft?' vroeg Brian.

'Doe je mee of niet?'

'Ja, ja, ik doe mee. Zet me nou neer.'

Larry liet Brian los. 'Je mobieltje,' commandeerde hij.

'Waarom?'

'Je krijgt het na afloop terug. Zo weet ik zeker dat je in de buurt blijft.'

Brian pakte met een zuur gezicht zijn telefoon uit zijn broekzak en gaf hem aan Larry.

'Mooi zo. Begin maar eens met dit stuk plein schoon te vegen.'

'Vegen? Ik ben geen slaaf of zo.'

'Niet zeuren, straks hebben we een leukere klus. Dan mag je het geld ophalen. Loop even mee'.

Brian volgde Larry naar de truck.

Over het plein klonk een applausje. Een aantal mensen op de terrassen, die het voorval hadden gezien, staken hun duim omhoog naar Larry.

Bij de truck kreeg Brian een bezem van Larry. En zonder protest begon hij te vegen. Duco had met open mond staan kijken hoe Larry Brian had aangepakt. Het was alsof Brian als een blad aan een boom was omgeslagen. Zelfs op school had geen enkele leraar ooit zoiets bij hem voor elkaar gekregen.

Tegen één uur kwamen de ouders van de acrobaten en jongleurs aangelopen. Sommigen hadden al een tijdje op een van de terrassen gezeten.

Duco stond met Faroque nog even de kegelact te oefenen.

'Het gaat goed, man,' zei Faroque, 'we gaan het met vier doen hoor, zo direct.' Prompt liet Duco een kegel vallen. 'Laten we het met drie doen, dan zijn we zeker,' zei hij.

'Vier is spectaculairder.'

'Ja, maar drie is zeker. Mijn ouders komen kijken en ik wil laten zien wat ik kan. Niet wat ik niet kan.'

'Oké, wat jij wilt, maar vier blijft toch mooier.'

'Jij kent mijn vader niet. Die zóékt gewoon dingen om te kunnen afkraken.'

'Dames en heren, over vijf minuten begint de spectaculaire mini-circusshow. Nog vijf minuten,' galmde Larry's stem over het plein.

Duco zocht met zijn ogen het plein af. Ilse en Gert-Jan waren er nog niet. Ze zouden toch komen?

Yakima kwam langs. Zonder iets te zeggen liep ze op Duco af en gaf hem een kus.

Hij voelde dat hij knalrood werd.

Faroque begon te lachen.

'Wat nou?' zei Yakima. 'Dat brengt geluk hoor. Dat deed mijn moeder ook bij mijn vader in het circus.' Ze maakte een radslag en liep snel naar de auto van Larry. Duco staarde haar na.

'Geluk? Echt niet,' riep Faroque. 'Ze ziet je helemaal zitten, man. Anders had ze mij er ook een moeten geven.'

Yakima liep naar Tom en Felicia, die hun spieren stonden te rekken tegen de auto. Phil zat op het dak van de pick-up van de zon te genieten en zwaaide naar Duco. Hij stak zijn duim op.

Duco zocht nog een keer het plein af. Straks reed de tram niet, of dachten ze dat het pas later begon. Toen zag hij ze. Ilse zwaaide naar hem. Opgelucht haalde hij adem, maar tegelijk begonnen zijn handen te trillen. Nu zou hij echt moeten laten zien wat hij had geleerd. Het voelde nog zwaarder aan dan de Cito-toets die hij vorig jaar had gedaan.

Een muziekje klonk uit de luidsprekers van de auto. Duco herkende het direct, dat hadden ze ook bij het Circus van de Maan gespeeld. Hij kreeg kippenvel: de voorstelling was begonnen.

Larry had besloten eerst de act van de kleintjes te doen, daarna de acrobaten en als laatste pas de jongleurs.

'Kom!' Faroque nam Duco mee. 'We gaan ons achter de auto voorbereiden, daar is het rustig.'

'Jammer dat we Yakima niet kunnen zien,' zei Duco. Hij had zich erop verheugd om haar weer te kunnen zien rondwervelen.

'We moeten ons gaan concentreren, meisjes of geen meisjes.'

Ze gingen in kleermakerszit tegenover elkaar zitten.

Faroque pakte de handen van Duco vast. 'Zo vloeit onze energie samen.'

Duco knikte en staarde naar de donkere ogen van Faroque, die hem heel zeker aankeken. Het maakte hem rustig en hij voelde dat zijn handen niet meer trilden.

'Dames en heren, onze talenten van het jaar: Master Faroque en Duco X-BallZ!' galmde het ineens uit de speakers.

Duco en Faroque ontwaakten uit hun trance, sprongen tegelijk op en liepen om de pick-up heen naar hun podium. Een keiharde beat van Mo-Def knalde over het plein. Duco voelde de beat van de muziek in zijn borstkas trillen.

De jongens gingen tegenover elkaar staan en op een knikje van Faroque vlogen de kegels heen en weer.

Alles om hem heen leek Duco veel scherper dan normaal. Kleuren waren stralender, geluiden harder. De kegels die op hem afvlogen leken langzamer dan normaal te gaan. Hij had alle tijd om ze op te vangen en door te gooien.

De balletjes die hij in het tweede deel opgooide leken hoger te vliegen. Hij was één met de balletjes en de balletjes waren één met hem.

Voor zijn gevoel was hun routine in een flits voorbij. Pas nadat de laatste bal veilig in zijn handen was teruggekeerd durfde hij om zich heen te kijken. Faroque stond met een glimlach van oor tot oor en zijn armen in de lucht naar hem te kijken. Duco stak ook zijn armen in de lucht en liep op Faroque af. Ze sloegen met beide handen zo hard een dubbele high five, dat hun voorhoofden elkaar raakten.

Faroque sloeg zijn arm om Duco heen. 'Goed gedaan man, we zijn echt goed!'

De jongens draaiden zich naar het publiek.

Het eerste wat Duco zag was dat Gert-Jan stond te klappen! De tranen sprongen hem in zijn ogen. Gert-Jan klapte voor hem! Ilse stond te springen en stak haar duimen naar hem op. Hij voelde dat Faroque zijn hand pakte en samen maakten ze een buiging.

Brian liep voor hen langs met een hoge hoed omgekeerd in zijn hand. 'Kicken, man. Ongelofelijk! Dat moet je me gaan leren.' Hij liep verder langs het publiek om geld op te halen.

Er sprong weer een kat op de rug van Duco. 'Jullie waren echt goed,' riep Yakima. 'Hiermee kan je zo het circus in!'

Duco rilde van genot. Hij bracht zijn hoofd opzij om haar wang met zijn oor te aaien. Ze gaf hem weer een kus en bleef op en neer hoppend bij hem staan.

Larry worstelde zich door de mensen heen en ging tussen de jongens in staan. Hij sloeg een arm om hen heen. 'Guys, you are the best! Ik weet niet hoe ik het anders moet zeggen. Jullie worden mijn grootste concurrenten. Geweldig!'

Faroque en Duco bogen om Larry heen en gaven elkaar nog een high five.

'Het ging echt wel goed,' zei Faroque met een grijns.

'Ducootje van me, Ducootje, kom eens even bij je moeder.' Het was Ilse, die met Gert-Jan kwam aanlopen. Ze omhelsde Duco stevig. 'Echt ongelofelijk goed, schat. Ik ben trots op je, en papa ook. Niet, Gert-Jan?'

Gert-Jan sloeg Duco op zijn schouder. 'Jongen, ik moet zeggen, ik vond het leuk om te zien. Fijn dat je iets hebt gevonden waar je kan laten zien hoe goed je bent.'

Duco wilde het uitschreeuwen van vreugde en van alles roepen. Dat hij superblij was met het compliment van Gert-Jan, dat hij eindelijk iets goed kon, dat hij vrienden had gemaakt, dat Yakima hem een kus had gegeven, dat... Het was zoveel en niemand zou er iets van begrijpen. 'YES!!!!' brulde hij uit alle macht, zo hard dat zijn keel er pijn van deed. Het kon hem geen bal schelen. Hij stak een gestrekte arm met gebalde vuist de lucht in. 'Yes, yes, yes!'

Hij omhelsde Yakima en tilde haar op. Pas toen

hij haar drie keer had rondgezwaaid, realiseerde hij zich wat hij aan het doen was. Hij zwaaide een meisje rond, midden tussen de mensen. En iedereen leek het heel normaal te vinden. Hij zette haar voorzichtig op de grond.

'Dat was een leuk ritje in de draaimolen,' zei Yakima.

Hij voelde een kneepje in zijn arm en keek om. Ilse stond achter hem en wees naar een terras. 'Kom je daar naartoe als je hier klaar bent? En neem je vriendinnetje mee, als ze wil.'

'Mam!' riep Duco. Hij wilde zeggen dat het niet zijn vriendin was en dat ze niet meteen conclusies moest trekken en zich niet overal mee moest bemoeien.

'Goed, we komen zo,' zei hij in plaats daarvan. Hij begon zijn spullen in te pakken.

'Hé Duco, zag er goed uit. Complimenten van de directie!' Het was Phil, die was afgedaald van zijn troon op de auto. 'Een genot om een artiest te zien die tijdens de echte show nog beter is dan tijdens de repetities. Meestal is het andersom.'

'Het ging wel lekker vandaag.'

'En nog bescheiden ook. Zeg, gaan we nog even met je ouders praten?'

Duco ritste zijn props-tas dicht. 'Ze zitten daar op het terras, loop maar even mee.'

'Ik ga mee,' zei Yakima. 'Ik lust wel een colaatje. Even aan mijn moeder vragen. Die zit op een ander terras. Ben zo terug.' Ze rende weg.

Langzaam liepen Duco en Phil naar het terras

waar Ilse en Gert-Jan zaten.

'Daar hebben we onze artiest,' zei Gert-Jan lachend. 'En is dit je coach?' Hij keek naar Phil.

'Ongeveer,' zei Duco. 'Dit is Phil en hij wil even met jullie praten.'

Phil stak zijn hand uit. 'Aangenaam, laat ik maar meteen met de deur in huis vallen. Als talentscout van de circusschool ben ik op zoek naar jong talent. Ik heb uw zoon dit weekend bezig gezien en met hem gewerkt. Hij heeft enorm veel talent!'

'Ja, dat heeft hij van zijn vader,' zei Ilse trots. Ze klopte Duco op zijn rug.

'Ik heb ook van Duco begrepen dat hij nog veel beter wil worden,' vervolgde Phil. 'Er zijn heel veel jonge jongleurs die hetzelfde willen. Maar de meesten bereiken nooit de top.'

'Net als in de sport,' onderbrak Gert-Jan. 'Om de top te bereiken moet je keihard werken en goede coaches hebben. Discipline, energie en focus, daar gaat het om!'

Ineens voelde Duco dat het ging lukken. Die Phil had Gert-Jan helemaal in zijn zak. Hij ging mee in het verhaal van Phil!

'U heeft helemaal gelijk, meneer,' zei Phil. 'Om een professioneel jongleur te worden moet uw zoon naar een goed opleidingsinstituut, wat zeg ik, naar het beste instituut. En ik ben in staat om hem dat te bieden. Ik wil hem graag uitnodigen voor een toelatingstest. Als hij daar over drie maanden doorheen komt, kan hij met een volledige beurs op onze circusschool in Maastricht komen wonen en leren.

Wat zegt u daarvan mevrouw, meneer?'

Ademloos bestudeerde Duco de gezichten van zijn ouders.

Ilse legde haar hand op zijn arm en begon direct te glimlachen. 'Wat geweldig. Ik had geen idee dat hij zo goed was.'

'Wacht even!' Gert-Jan stak zijn hand op om Ilse de mond te snoeren. Zijn vrolijkheid was als bij toverslag verdwenen. Koeltjes staarde hij Phil aan.

Phil zei niets en keek Gert-Jan vragend aan.

Seconden tikten voorbij.

Gert-Jan liet zijn arm zakken. 'Mijn zoon naar een internaat, zo ver weg? Om wat beter in zijn hobby te worden? En hoe moet dat dan met de gewone vakken? Zo leert zo'n jongen toch geen wiskunde en geen talen? Dan kan hij een goede baan later schudden.'

Duco wilde opspringen en wegrennen. Ilse hield hem tegen. Zie je wel, hij wist van tevoren al dat Gert-Jan het zou tegenhouden. Hij zag het gewoon als een of andere hobby! Hij gunde hem gewoon het succes niet!

'Talen zijn geen probleem,' zei Phil. 'We zijn een internationale school dus Engels is de voertaal. En wat banen betreft: wij hebben ex-leerlingen die werken voor de beste shows in de wereld tot in Las Vegas toe, dus...'

Gert-Jan stak zijn hand weer op. 'Leuk dat hij hier op het plein wat met kegels en ballen speelt, maar Duco blijft gewoon op school en gaat helemaal nergens naartoe.'

'Gert-Jan, laat die meneer nou even uitspreken. Dat kan toch geen kwaad?' zei Ilse.

'Bemoei je er even niet mee, Ilse. Als ik hulp nodig heb dan vraag ik daar wel om.'

Ilse kneep Duco's arm bijna in tweeën, maar zei niets.

'Ik begrijp dat ik u hiermee overval,' ging Phil verder. 'Het is heel normaal dat ouders niet direct staan te springen van enthousiasme. Het idee dat hun kind ineens bij ze weg zou gaan...' Phil stopte met praten en keek Gert-Jan peinzend aan.

Die nam een slok koffie en deed net alsof er iets heel interessants op het plein te zien was.

'Weet u wat?' ging Phil verder, 'neem mijn voorstel mee naar huis en bespreek het vanavond met elkaar. Hier is mijn kaartje. Als jullie eruit zijn dan hoor ik het graag. Het zou echt zonde zijn als Duco niets met zijn talent zou doen.' Phil gaf Ilse een hand.

Gert-Jan deed net of hij de uitgestoken hand niet zag.

Phil gaf Duco een klap op zijn schouder. 'Ik hoop snel van je te horen, oké?'

Duco knikte.

Phil liep het terras af en stak zijn hand op naar Yakima, die net kwam aangerend.

'Sorry dat het even duurde,' zei Yakima. 'En?...' vragend keek ze naar Ilse en Gert-Jan.

Duco zag dat Yakima meteen begreep wat er aan de hand was. Wat een vreselijke afgang. Hij sprong op en wilde weglopen.

Ilse trok hem aan zijn arm terug. 'Weglopen is nu

niet zo handig, Duco,' zei ze zacht. 'Blijf maar even zitten, we gaan zo met zijn allen naar huis. Daar praten we verder.'

Wanhopig keek Duco naar Yakima. Nu dacht ze natuurlijk dat hij ook nog een of ander moederskindje was.

'Ik moet eigenlijk ook terug naar mijn moeder,' zei Yakima. 'Zie ik je morgen op school?' Ze draaide zich half om en stak haar hand op. 'Dag allemaal. Tot morgen, Duco!'

'Tot morgen,' wist Duco nog net te roepen.

'Kom, we gaan,' zei Gert-Jan en gooide wat geld op het tafeltje. Ze liepen over het plein naar de tramhalte.

'Even Larry gedag zeggen,' riep Duco over zijn schouder. Hij rende naar de auto van Larry.

'Hé Duco, ga je nu al weg?' Larry was samen met Brian de speakers van het dak aan het halen.

'Ja, ik moet mee naar huis.'

'Maak je geen zorgen hoor. De meeste ouders reageren zo in het begin. Ze trekken wel bij.'

'Mijn vader niet, vrees ik. Die is heel rechtlijnig.' Duco zuchtte.

'Voorlopig ga je mij in ieder geval de basics leren,' kwam Brian tussenbeide. 'Jij kan het echt goed, man. Ik wil ook optreden voor mensen. Geld verdienen met ballengooien! Vet!'

Duco schoot in de lach. Moest hij nou lachen van schrik of was het echt grappig? Wilde de grootste etter van school nu ineens jongleren van hem leren? Veel gekker moest het niet worden. En was Brian de ruzie al vergeten? Of ging hij later wraak nemen?

'Je kan ook wat anders gaan doen,' zei Duco. 'Iets spectaculairders, messenwerpen of zo.'

Even keek Brian naar Duco en barstte toen in lachen uit. 'Die is goed man! Je hebt nog humor ook.'

'Goeie job vandaag, Brian,' zei Larry. Hij gaf hem zijn mobieltje terug. 'En misschien heb je een wat betere bezigheid gevonden dan tassen roven.'

Brian stak trots zijn borst vooruit. 'De volgende keer haal ik hier geld op voor mezelf in plaats van voor iemand anders, zeker weten,' zei Brian.

'Je moeder staat op je te wachten Duco, ga maar snel. Ik zie je gauw,' zei Larry. 'We teksten nog wel. Ik wil weten hoe het met je gaat.'

11

'Mijn besluit staat vast!' Gert-Jan sloeg hard met zijn hand op de eettafel. De wijn spatte uit zijn glas.

'Een beetje rustig alsjeblieft!' riep Ilse. 'We proberen als normale mensen een gesprek te voeren.'

Duco zat met zijn hoofd in zijn handen en luisterde niet meer. Zijn hele leven zat Gert-Jan hem af te kraken omdat hij niks met zijn lichaam kon. Nu had hij iets waar hij goed in was, mocht hij er niet mee doorgaan. Eigenlijk begreep hij geen bal van die man. Hij zat maar te zeuren dat je een diploma moest hebben om goed geld te kunnen verdienen. De circusschool vond hij duidelijk iets voor losers. Alsof hij zoveel verdiende. Laatst hadden Gert-Jan en Ilse ruzie over geld en had Ilse geroepen dat ze van zijn salaris net de auto konden betalen. Gert-Jan had toen voor een keer meteen zijn mond gehouden. Ilse had niets te klagen. Die verdiende als tandarts een enorme berg geld.

'En ik wil ook niet meer dat die jongen dag en nacht staat te oefenen!' schreeuwde Gert-Jan ineens. Duco schrok op uit zijn gedachten.

'Je schoolcijfers gaan er onherroepelijk onder lijden! Dat kan niet anders! Eén keer per week een uurtje is genoeg voor een hobby.'

Zo kwamen ze van de regen in de drup. Net zaten ze nog te praten over de circusschool, en nu mocht hij helemaal niet meer jongleren. Gert-Jan was gek geworden. Hoe wist hij nou hoe goed of slecht zijn cijfers waren? Hij had toch geen rapport gehad? Als Gert-Jan dit serieus bedoelde, dan was hij kansloos op de auditie. Hoe moest je hier nu mee omgaan? Slaan, gillen, huilen? Hij was toch geen baby meer? Duco wilde met zijn hoofd op de tafel bonken, maar haalde heel diep adem. Hij moest zich beheersen. Meegaan in de gekte van Gert-Jan maakte het alleen maar erger.

Het belangrijkste was nu dat hij de komende maanden kon trainen. Als hij niet kon trainen dan had hij zeker niets te zoeken bij de toelatingstest. Dát moest hij eerst veilig stellen.

Hij keek naar zijn vader die met een boze blik voor zich uit zat te staren. 'Jij wilt dus graag dat ik goede cijfers haal op school?'

'Dat spreekt voor zich.'

'Als ik goed mijn huiswerk maak, en als ik dan allemaal voldoendes haal...' vervolgde Duco.

Gert-Jan keek verrast op.

'...En stel nou dat ik dan nog tijd overheb...' Duco aarzelde.

'Ga door,' zei Gert-Jan.

'Nou, als ik dan nog tijd overheb, dan mag ik toch wel jongleren? Dat is beter dan achter de computer zitten.'

Gert-Jan glimlachte flauwtjes. 'Slim geredeneerd.'

Duco zuchtte van opluchting. Zie je wel, als je slim nadacht lukte het wel.

'Maar ik heb nog een kleine toevoeging.' Gert-Jan keek naar Ilse. 'Als je tijd overhebt mag je jongleren, als... je gemiddeld een acht haalt voor al je vakken!' Gert-Jan keek Duco triomfantelijk aan.

Die wilde het liefst zijn vader aanvliegen. Hij omklemde de leuningen van zijn stoel. Gert-Jan nam zijn voorstel niet eens serieus!

'Gert-Jan, dat is een onredelijke eis!' riep Ilse. 'Zo maak je die jongen blij met een dode mus.'

'Dit is het aanbod, en daarmee uit,' zei Gert-Jan. Hij stond op van tafel en verdween naar zijn hoekje in de televisiekamer.

'Mam, dat kan toch niet,' riep Duco. 'Ik bedoel, als ik het al zou kunnen dan ben ik dag en nacht aan het leren!'

Huilend stormde hij de trap op naar zijn kamer. Een dode mus, een kat in de zak, een sigaar uit eigen doos. Hij wist niet precies hoe je het moest zeggen, maar het was een waardeloos idee. Hij ging niet eens proberen om het te halen.

Hij pakte zijn mobieltje.

< Ik mag echt niet! GJ is gek geworden > tekstte hij naar Yakima. Minutenlang staarde hij naar het scherm, wachtend op antwoord. Maar het scherm bleef donker. Net nu hij haar nodig had, reageerde ze niet. Hij smeet zijn mobieltje op zijn bureau en liet zich op zijn bed vallen.

Het leek wel alsof de voorstelling alweer dagen geleden was. Hij voelde zich boos en moe. Eén ding wist hij zeker: hij ging nooit van zijn leven stoppen met jongleren. Dan konden ze hem beter meteen door andere ouders laten adopteren.

De volgende dag, in de bus naar school, zag hij dat hij een bericht van Larry had, dat om elf uur 's avonds was verstuurd.

< En zijn de parents al ok? >

< Nee, mijn vader is gek geworden > tekstte Duco terug. Larry antwoordde niet. Die lag zeker nog te slapen.

< Zie ik je straks? Wil weten of je mag. Kan niet wachten! > tekstte Yakima vlak daarna.

< Had je mijn bericht gisteravond niet gezien? >

< Nee, mobiel deed raar. Net weer online. Zie je zo? >

< Bijna op school. D > Hij wilde het haar liever zelf vertellen.

Voordat hij het schoolplein op kon lopen, sprong Brian vanachter het hek tevoorschijn.

'Hé Duco X-BallZ! Wanneer gaan we oefenen? Ik ben er klaar voor.'

Duco moest inwendig lachen. Eerst was hij bang geweest dat hij vermomd naar school had moeten gaan om de wraak te ontlopen. En nu verwelkomde Brian hem?

'Ik weet het nog niet. Mijn vader wil dat ik stop met jongleren.' Hij keek om zich heen. Yakima was nergens te bekennen.

'Stoppen? Die vader van je is niet goed bij zijn hoofd. Je bent echt goed, man! Dan spreken we toch ergens af waar hij je niet kan zien.'

Duco speurde nog een keer het schoolplein af.

'We moeten niet te lang wachten, man. Zie het maar als smartengeld, voor die gekneusde arm die je me hebt bezorgd.'

Smartengeld? Wat een lef! Wie liep er het eerst met een mes te zwaaien?

'Als je me goed lesgeeft, ga ik geen aangifte bij de politie doen,' zei Brian. 'Heb jij er ook nog wat aan.'

Zie je wel, toch een verborgen agenda. Niet te vertrouwen, zo'n dweil.

'En doet Ivar dat dan ook niet?' vroeg Duco

'O, die loser heb ik gedumpt. Hij had geld gejat van zijn moeder en heeft nu huisarrest. Hij mag de rest van het schooljaar helemaal niets meer van zijn ouders. Ze vonden dat ik een slechte invloed op hem had. Niet te geloven, hè. Nee, van hem zal je geen last meer hebben.'

'Laten we morgen kijken hoe het gaat,' zei Duco. Als hij met een uurtje trainen veel ellende kon voorkomen...

'Prima, die staat,' zei Brian.

Het was pauze en Duco zag, vanaf de tweede verdieping, Yakima in de centrale hal beneden staan. Ze stond duidelijk te wachten. Nu hij haar zag, voelde hij ineens dat hij haar nog meer gemist had dan hij dacht. Snel liep hij de trappen af. Met iedere trede voelde hij zijn hoofd roder worden.

'Hallo Duco,' riep Yakima. Ze wilde een arm om hem heen slaan.

Maar hij ontweek de arm door te bukken en een flesje water uit zijn tas te halen. Het voelde alsof hij zichzelf een schop gaf. Natuurlijk had hij haar het liefst omhelsd, maar midden in de hal? Ze hadden elkaar beter ergens achter het gymlokaal kunnen ontmoeten. Hier stond de hele school te kijken.

'Sorry, dat ik je niet antwoordde gisteravond. Ik was mee met Kiki en mijn mobieltje vergeten.'

Hij vertelde haar in één adem het verhaal van gisteravond.

'Wat een zeurpiet van een vader heb jij, zeg. Blij dat mijn moeder niet zo is. Ik weet wat: ga vanmiddag mee theedrinken bij mij thuis, dan kunnen we het met haar bespreken,' zei Yakima.

Hij verslikte zich bijna in een slok water. Mee met Yakima? Graag! Het aanbod om mee te gaan was dus echt niet eenmalig geweest. Als ze nou... Hij schudde zijn hoofd. Nee, niet weer allerlei excuses verzinnen om niet mee te gaan.

'Ga je niet mee?' vroeg Yakima. 'Je schudde toch van nee?'

'Euh nee, ik bedoel ja, ik ga graag mee!' riep Duco.

'Mooi zo. Zie ik je om drie uur. En nu moet ik naar Engelse les.' Yakima sprong met drie treden tegelijk de trap op naar de eerste verdieping.

'Hier, neem een lekkere kokosmakroon,' zei Kiki.

'Nee, dank je, ik wil graag nog wat thee als er is,' zei Duco en schoof zijn kopje over de tafel naar Yakima's moeder.

Kiki schonk voor alle drie nog wat thee in. 'Ik heb

Yak geleerd om haar hart te volgen,' zei Kiki. 'Daar word je toch het gelukkigst van. Die vader van jou staat helaas niet open voor andere manieren waarop je geluk kan vinden. Als iedereen zo dacht dan zou deze wereld heel kaal zijn! Kan je je een wereld voorstellen zonder schilderijen en muziek en circus? De meeste mensen die artiest willen worden, weten vaak al jong wat ze willen en volgen hun hart. Vaak dwars tegen alle regeltjes en wensen van ouders in. Je moet dan wel heel sterk zijn, want niemand zal je er bij helpen.'

'Je blijft toch wel gewoon oefenen voor de auditie?' vroeg Yakima.

Duco knikte. Na de woorden van Kiki twijfelde hij helemaal niet meer. Hij zat hier met een dochter van twee circusartiesten. Het was alsof hij in een warm bad zat, waar hij nooit meer uit ging. Kiki en Yakima begrepen tenminste wat hij voelde.

'Ik kan thuis niet meer oefenen. Als ik dat doe, pikt mijn vader al mijn spullen in. Hij is er gek genoeg voor.' Duco imiteerde Gert-Jan: 'Regels zijn er om nageleefd te worden. Dus als ik zeg dat iets gebeurt dan gebeurt dat ook. Discipline, energie en focus!'

Yakima lachte. 'Het lijkt wel een legercommandant, zoals die man spreekt.'

'Nou, hij is vaak net zo streng.'

'Waar ga je dan oefenen?' vroeg Kiki.

Dat was een goede vraag. Hier bij Yakima thuis op drie hoog was het ook niet al te groot. Waar vond je een ruimte met een hoog plafond? De theaterschool was ideaal, maar daar werd door de week lesgegeven.

Hij had op internet gezien dat er jongleerclubs waren. Maar dat kostte vast ook meteen weer geld, en hij kende er niemand. Hij ging veel liever naar Larry toe, dan wist hij tenminste wie hem coachte.

'Ik ga Larry om hulp vragen,' zei Duco terwijl hij zijn mobieltje pakte. 'Per slot van rekening is hij de aanstichter van de hele situatie.'

< Hi L. Ben verbannen uit huis. Weet jij oefenruimte? Ben wanhopig op zoek Gr Duco :-(>

'Larry helpt altijd,' zei Yakima. 'Hij heeft al zoveel kinderen geholpen, ook niet-jongleurs.'

< Kom naar de winkel, mag je voor de klanten optreden. L > tekstte Larry na een paar minuten terug.

'En wat ga je dan tegen je ouders zeggen?' vroeg Kiki.

'Dat hij bij mij huiswerk maakt,' zei Yakima snel.

'Doen wat je hart je ingeeft is één, Duco, maar liegen is weer wat anders,' zei Kiki. 'Al ben ik het niet eens met je ouders.'

12

Duco zat op zijn kamer te internetten. Hij zocht eigenlijk een filmpje voor een nieuwe truc, maar zijn gedachten dwaalden af naar de afgelopen weken. De weken na de ruzie met Gert-Jan en zijn oneerlijke voorwaarde waren voorbij gevlogen.

'Mam, ik doe vanaf nu iedere dag huiswerk bij Yakima thuis,' had Duco de dag na zijn eerste bezoek bij Yakima geroepen op het moment dat hij naar school vertrok.

Ilse had geglimlacht en had hem een knuffel gegeven. 'Natuurlijk moet je bij je vriendinnetje zijn.'

'En ik eet er ook,' zei Duco snel.

'Vergeet je dan niet om ook echt wat aan je huiswerk te doen?'

'Nee mam,' zei Duco zo braaf mogelijk. Hij ging haar echt niet aan haar neus hangen dat hij mooi niets ging doen. Leren had immers toch geen zin. Hij had aan het begin van de brugklas één keer een negen gehaald, en dat was geluk geweest. Alleen maar achten, zelfs met keihard werken, dat ging hij nooit halen.

's Middags na school reden Duco en Yakima met de tram naar Larry. In de winkel oefende Duco een nieuwe achterlangs-truc die ongelofelijk lastig was. Hij had hem gezien op een filmpje op het net. Je moest achteroverleunen en over je rechterschouder kijken. Dan je linkerarm achter je rug naar rechts steken, zodat hij aan de andere kant een stukje uitstak. En dan met drie kegels jongleren. Het was net alsof zijn linkerarm zat vastgebonden en hij alleen zijn pols een beetje kon gebruiken. De eerste paar keer gooide hij de kegels alle kanten op, ze stuiterden zelfs tegen zijn eigen hoofd.

'Hou je rechterarm eens iets lager,' zei Larry hikkend van het lachen.

Duco liet zijn arm zakken. Het ging op slag beter.

'Zeg dat dan meteen!'

'Een beetje jezelf overwinnen kan ook geen kwaad hoor.'

Met zijn tong tussen zijn lippen ging Duco door.

'Geweldig, goed zo!' riep Larry. 'Man, wat leer jij snel, die truc kostte mij maanden!'

Een paar dagen later hadden Duco en Yakima weer in de tram op weg naar Larry gezeten. Het leek alsof ze elkaar al jaren kenden, zo vertrouwd zaten ze te praten.

'Gezellig zo met zijn tweetjes hè Duco?'

Duco knikte. Yakima leunde tegen hem aan en liet haar hoofd op zijn schouder rusten. Zomaar, zo midden in de tram! Hij voelde dat zijn wangen helemaal warm werden. Snel keek hij de tram rond. Niemand zat te kijken. Zo nonchalant mogelijk sloeg hij zijn arm om haar heen.

'Weet je waarom ik je zo leuk vind?' Yakima drukte zich nog wat steviger tegen hem aan. 'Je voelt heerlijk zacht en stevig tegelijk. En zo ben je ook. Zacht van buiten en pit van binnen... Een soort perzik.' Ze gaf hem een kus in zijn nek. 'En van die prachtige bruine warme ogen natuurlijk, maar dat klinkt zo gewoontjes.'

Duco verborg zijn hoofd in Yakima's nek, zodat ze zijn rode wangen niet kon zien. Haar complimenten waren zo lief en zo overweldigend dat hij de hele tramrit niet meer wist wat hij moest zeggen. Wat hem betrof mocht de tram doorrijden naar Rome.

Brian was bijna iedere pauze naar Duco toegekomen. Hij moest en zou een keer met Duco meegaan om te oefenen.

Duco had hem al een paar keer met een smoesje afgehouden. Om te voorkomen dat hij echt naar de politie ging nam Duco hem toch maar een keer mee naar Larry. Daar leerde Brian de simpelste jongleertruc, met twee balletjes kruislings.

'Ik heb best een beetje talent, niet?' zei Brian na twee uur oefenen.

'Best wel,' zei Duco. Wat had het voor zin om iemand af te kraken? Brian had er toch plezier in? 'Als je het met drie kan, dan spreken we af om weer een keer samen te oefenen.'

Het zou minimaal een paar weken duren voordat hij zover was, schatte Duco in.

Op school had hij die ochtend een geschiedenisproefwerk teruggekregen.

'441 is echt niet het jaartal waarop de Romeinen de lage landen inlijfden, Duco,' mopperde Knijtijzer, de geschiedenisleraar.

Nee, dat wist Duco ook wel. Het was de siteswap van een nieuwe truc met vier ballen. Ze hadden meer proefwerken gehad waar hij niet veel van gebakken had. Zodra hij een antwoord niet wist oefende hij de siteswap-notatie van het jongleren. Het was veel leuker om de wiskundige formules uit te pluizen. De grootste uitdaging was een oefening te vinden die wiskundig klopte maar die niemand nog kon. Dat zou de ultieme kick zijn.

's Middags hadden ze weer bij Larry gezeten en hij had hen uitgenodigd pizza te blijven eten. Het was al donker geweest toen ze met zijn drieën gearmd, Yakima in het midden, op straat liepen.

'Jullie hebben de laatste tijd keihard gewerkt, jongens,' had Larry gezegd. 'Als jullie zo doorgaan ga je de auditie zeker halen.'

De deur van Duco's kamer ging met een ruk open. Hij schrok op uit zijn gedachten.

'Duco, meekomen!' commandeerde Gert-Jan.

Wat moest Gert-Jan nou weer? Zat hij een keer rustig op zijn kamer te internetten...

'Snel een beetje!' riep Gert-Jan vanaf de trap.

'Rustig aan hoor. Ik kom eraan.' Duco schoof zijn stoel achteruit en sjokte de trap af en liep de huiskamer in.

'Normaal praten alsjeblieft, als beschaafde mensen,' zei Ilse.

Gert-Jan stond midden in de kamer met een blaadje in zijn hand.

'Ik praat normaal met normale mensen. Jouw zoon is helaas een beetje abnormaal geworden.'

Wat zou Gert-Jan nou weer bedoelen?

'Waar was jij de afgelopen weken?' vroeg Gert-Jan.

'Waar, op school?'

'Nee, na school!'

'Huiswerk maken bij Yakima.'

'Mijn neus, dat je iets hebt gedaan daar! Geniene, je klassenmentor, belde net. Ze maakt zich ernstige zorgen. Ik heb hier de resultaten van je laatste proefwerken.' Hij sloeg op het blaadje. 'Voor geschiedenis: een één; voor wiskunde: een één; voor Frans: een vijf. Je had bij het meeste niets ingevuld, alleen tekeningen van balletjes met getallen erbij! Kan je mij dat s.v.p. even verklaren, ja?'

'Nou, ik had niet genoeg tijd om te leren,' begon Duco. 'We hadden zoveel huiswerk en...'

'Neem me niet in de maling, mannetje,' riep Gert-Jan. 'Normaal haal je gemakkelijk voldoendes. Geniene zegt dat je de laatste tijd helemaal niet meer meedoet. Je zit een beetje in de klas en dat is het. En 's middags zit je zeker de hele tijd te rotzooien met dat vriendinnetje van je...'

'Ik rotzooi niet met Yakima! Ze is gewoon een vriendin!'

'Maakt ook niet uit!' Gert-Jan wees met een uitgestoken vinger naar Duco. 'Maar ik dacht dat wij een afspraak hadden? Op deze manier kan jij die auditie natuurlijk mooi op je buik schrijven.'

Duco wilde de kamer uitstormen maar bedacht zich. Hij ging zich niet meer laten intimideren door het geschreeuw van Gert-Jan. Het liefst wilde hij zijn vader oppakken en hem zo door het raam de tuin in gooien. Hij zette zijn benen uit elkaar en stak zijn kin naar voren.

'Wat heb ik aan een afspraak die ik toch nooit kan halen!'

Gert-Jan keek verrast op. 'Dus zodra ik wat eisen aan je niveau stel, gooi jij het bijltje erbij neer?'

'Noem dat maar wat eisen. Alleen maar achten moeten halen, dat is toch belachelijk. Dat haal ik nooit, zelfs niet met keihard werken. Dan heb ik misschien goede cijfers, maar zak ik voor de auditie. Ik ga liever de hele dag jongleren!' Duco vouwde zijn armen over elkaar.

'Als ik regels stel, dan eis ik gehoorzaamheid en geen grote mond! Begrijp je!' Gert-Jan frommelde het briefje in elkaar en gooide het in de richting van de prullenbak. Hij miste. 'Je toont geen enkel respect voor je ouders.'

'Jíj hebt die regel bedacht hoor, Ilse niet. Van haar mag ik naar de auditie!'

'Niet zo brutaal jongen, anders...'

'Anders wat?' zei Duco. 'Moet ik dan soms tienen gaan halen? Je kan me toch niet pakken. Je hebt me alles al afgepakt en...'

Gert-Jan liep met grote passen op Duco af.

'Gert-Jan, handen thuis!' gilde Ilse.

'Bemoei je er eens voor een keer niet mee, mens!

Deze keer regelen we het op mijn manier!'

Duco zag dat Gert-Jans vuisten gebald waren. 'Ga je me nu slaan?' Hij likte zijn droge lippen. 'Is makkelijk hè, als je het niet meer weet!'

'Hou je mond, Duco! Zo is het genoeg!' schreeuwde Gert-Jan. De druppels spuug vlogen uit zijn mond.

Duco veegde met zijn arm zijn gezicht droog en zette zich schrap. Zijn hart klopte in zijn keel. Als Gert-Jan hem ging slaan, dan sloeg hij zeker terug. Die belachelijke eisen moesten weg. Of nog beter, Gert-Jan moest weg. Helemaal weg!

Gert-Jan deed onverwacht een stap achteruit en liet zijn armen zakken. Hij keek met een kwade, rode kop naar Duco. Ineens werd Gert-Jans gezicht lijkbleek; de woede in zijn ogen doofde van kwaad naar uitdrukkingsloos en kil. Alsof iemand de batterijen uit zijn hoofd had gehaald.

'Als jij ongehoorzaam bent dan zullen we eens zien wie hier de baas is.' De woorden kwamen eruit op een koude, monotone toon. 'Je hebt vanaf nu huisarrest. Je gaat 's ochtends naar school. Binnen een uur na school moet je thuis zijn. Je mag verder nergens naartoe. Ik controleer iedere dag je huiswerk. Dit geldt vanaf nu voor onbeperkte tijd. Discussie gesloten.' Gert-Jan draaide zich om en liep de kamer uit.

Wanhopig keek Duco naar zijn moeder. Waarom zei ze niks? Zij had toch ook het recht om wat te zeggen en hem te beschermen?

Ze pakte hem bij zijn arm en trok hem mee naar de keuken. 'Kom, even een time-out,' zei Ilse. 'Wil je wat eten? Een reep? Of wil je een glas cola?'

'Waarom geef je me altijd te eten als er crisis is, mam? Ik ben toch geen baby waar je een speen in stopt als hij huilt?'

Ilse keek Duco verbaasd aan. 'Niet waar, dat doe ik helemaal niet.'

'Dat doe je wél. Ik word er dik van en daar heb ik geen zin meer in.'

Ze aaide hem door zijn haar. Duco draaide zijn hoofd weg.

'En daar moet je ook mee stoppen. Ik ben geen zes meer!'

'Jee Duco, je bent wel heel opstandig vandaag.'

'Alsof dat mijn schuld is!' riep Duco. 'Mam, je moet me helpen!'

'Ik ga je ook helpen. Maar nu is even niet de goede tijd. Ik heb je vader nog nooit zo meegemaakt. In zo'n bui dringt er toch niets door in zijn kop...'

'Zie je wel, je dóét alleen maar alsof je tegen hem in gaat. Je bent gewoon bang voor hem!'

'Nu ben je onredelijk Duco! Ik troost je toch altijd als je verdrietig bent?' Ilses ogen stonden op huilen.

De gedachte dat zijn moeder nu niet voor hem wilde opkomen maakte hem boos en verdrietig tegelijk. Maar hij was níét bang meer en ging hier zeker niet zitten huilen. Vandaag kwam hij voor zichzelf op, en daar had hij niemand bij nodig.

'Als je nu niks doet, ga ik weg,' zei Duco ineens.

Geschrokken keek Ilse hem aan. 'Ik begrijp dat je boos bent lieverd, maar weggaan? Waar ga je dan naar toe?' Ze had nu tranen in haar ogen.

'Naar Yakima, haar moeder begrijpt me ten minste,' zei Duco.

'Kan je daar zomaar binnenlopen?' Ilse probeerde Duco's arm vast te pakken, maar hij trok zijn arm terug.

'Dat zie ik nog wel.' Duco stond op van tafel en liep de keuken uit. Op de trap werd hij ineens heel kalm. Bij iedere stap omhoog voelde hij de boosheid uit zich weg stromen. Alsof het water was dat van hem af droop, bij iedere stap een litertje, dat zo de traptreden af naar beneden stroomde. Boven aan de trap wist hij precies wat hij ging doen. Hij ging echt weg, weg van die dictator, die eikel van een vader. Dat zou hem leren!

Hij kon het beste direct naar Yakima's huis gaan en daar gewoon aanbellen. Kiki was zo aardig; die zou hem niet terugsturen. Trouwens, het was toch vrijdagavond en morgen was er geen school. En zelfs al zou het niet echt kunnen, één nachtje mocht hij vast wel op de bank slapen.

Hij liep naar zijn kast en propte snel wat kleren en zijn tandenborstel in een tas. Hij stak zijn bankpasje in zijn broekzak en wurmde al het geld uit zijn spaarpotje. Hij pakte zijn props-tas, liep naar beneden, trok zijn jas aan en deed de voordeur open.

Ilse kwam aangerend. 'Wat ga je doen?' fluisterde ze. 'Het is al hartstikke laat!'

'Weg!' zei Duco. Hij wilde naar buiten lopen.

'Waar ga je dan heen? Denk even na, Duco!' Ilse pakte hem bij zijn arm.

'Naar Yakima, dat heb ik al gezegd,' zei Duco. Hij

hoorde Gert-Jan de huiskamer uit lopen en trok zich met een ruk los.

'Wat is hier aan de hand?' riep Gert-Jan door de gang.

Duco was al buiten en liep snel door.

'Gert-Jan, je moet hem tegenhouden!'

'Duco kom hier, je hebt huisarrest!' schreeuwde Gert-Jan.

Aan het geklepper hoorde Duco dat Gert-Jan op zijn slippers de achtervolging had ingezet. Mooi zo, Gert-Jan was snel, maar niet op slippers. Hij rende naar de tramhalte.

'Duco, kom terug, nu of anders...!'

Duco bleef even stilstaan en keek om. Zijn vader stond stil onder het licht van een lantaren en zag er oud en een beetje zielig uit. Zijn schouders hingen naar beneden. De schaduwen van het licht tekenden diepe lijnen in zijn gezicht. Eén ogenblik voelde Duco twijfel knagen.

'Ach, ga ook maar, sukkel die je bent.' Gert-Jan maakte een wegwerpgebaar met beide armen. 'Je houdt het nog geen dag vol!'

De twijfel was direct weg bij Duco. Hij ging nu echt niet terug. Als hij dat deed, maakte hij zichzelf belachelijk. Het ene moment stoer met je tassen de deur uit lopen en na vijf minuten alweer met hangende pootjes terugkeren. Teruggaan naar die ongelofelijke eikel was het domste wat hij kon doen.

'Mannetje, mannetje, wat een ellende allemaal,' zei Kiki. Ze schonk Duco nog een kop thee in.

'Hij mag toch blijven, mam? We kunnen hem niet terug laten gaan naar dat monster,' zei Yakima

'Ik denk dat het goed is om je ouders en jezelf even een adempauze te geven, Duco. Ik heb geen logeerkamer, Yak en ik slapen op de zolderetage hierboven, maar de bank is ruim genoeg.'

'Ik slaap overal, geen probleem. Dankjewel,' zei Duco.

Yakima kneep in zijn hand.

'Ik ga even je moeder bellen om te zeggen dat je hier bent. Ze zal wel ongerust zijn,' zei Kiki.

'Nu zien we elkaar nog vaker,' zei Yakima. Ze liet zich van haar stoel glijden, liep op handen en voeten naar Duco en begon hem als een kat kopjes te geven.

'Kom maar, poesje.' Duco aaide door haar haren en klopte haar zachtjes op haar rug. Raar, hij voelde zich rustig en blij. Zou hij zich niet vreselijk moeten voelen? Hij was net weggelopen van huis. En nu zat hij hier in een vreemd huis. En het mooiste meisje van de wereld zat hem kopjes te geven.

'Miauw,' zei Yakima. Ze lachte en sprong op zijn schoot. 'Het komt allemaal goed, Duco X-BallZ. We kunnen blijven oefenen voor de auditie en jij bent van je vader af.'

Kiki kwam weer binnen. Duco probeerde Yakima van zich af te schuiven, maar ze bleef rustig zitten. Kiki leek het geen probleem te vinden, maar Duco voelde zich superongemakkelijk.

'Zo, geregeld,' zei Kiki. 'En nu gaan we slapen. Ik gooi zo een dekbed en een kussen van de trap. Yakima, help jij Duco dan even de bank op te maken?' Ze stond op en liep de keuken uit.

Samen maakten ze de bank op.

Yakima deed alle lampen uit, op een klein lampje na. 'Welterusten!' zei ze.

Hij voelde zich heel onhandig. Hoe nam je nou afscheid? Zolang Yakima er nog was kon hij toch moeilijk met zijn kleren aan op de bank gaan liggen? En zich uitkleden waar zij bij was, dat ging al helemaal niet.

Yakima scheen het hele probleem niet te zien. Ze liep op Duco af, sloeg een arm om hem heen en gaf hem een kus op zijn mond. Even later liep ze zonder iets te zeggen de kamer uit.

Met bonzend hart bleef Duco achter. Hij staarde naar een oude zwart-witfoto op het tafeltje naast de bank. Een lachende mooie vrouw in een ouderwets acrobatenpakje keek hem aan. Het was net alsof ze de scène had gezien; alsof ze wist dat Duco nu duizend vlinders in zijn buik voelde kriebelen.

Hij ging op de bank zitten en kleedde zich langzaam uit. De kus gloeide na op zijn lippen. Hij was nog nooit zo gekust. Yakima was vanaf het begin al heel knuffelig geweest en kuste hem veel in zijn nek, alsof het de gewoonste zaak van de wereld was. Maar deze kus voelde anders, serieuzer. Betekende dat dat ze nu écht met elkaar gingen? Hoe wist je dat eigenlijk? Of moest je eerst met elkaar getongzoend hebben? Hij raakte met zijn hand zijn mond weer aan. Hij ging onder zijn dekbed liggen. Lag Yakima nu maar naast hem. Hij wilde meer van die kussen, en haar stevig vasthouden.

Hij stelde zich voor dat ze samen op vakantie waren. Ze lagen in een hangmat die tussen twee palmbomen was opgehangen. Het was warm en er waaide een zacht zwoel windje. Het lichtblauw van de zee was zo fel dat je er alleen met dichtgeknepen ogen naar kon kijken.

Ze woonden in een klein hutje in de jungle naast het hotel. En 's avonds verdienden ze wat zakgeld met een kleine show bij de bar van het hotel aan het strand. Yakima en Duco traden samen op, met als sluitstuk een jongleeract met kokosnoten in plaats van balletjes...

13

Hij lag te soezen in zijn hangmat en hoorde het ruisen van de oceaan. Er kriebelde iets op zijn gezicht. Een spin? Nee, het was veel groter. Het zou toch geen...? Er liepen ook grote leguanen op het strand! Het voelde wel zwaar op zijn borst. Langzaam kroop het langs zijn nek omhoog naar zijn gezicht. Hij kon geen adem meer halen, hij moest... Wild maaide hij met zijn armen om zich heen terwijl hij probeerde zijn ogen open te doen.

'Duco, Duco, rustig. Ik ben het!'

Hij was op slag wakker.

'O shit, ik dacht dat er een leguaan op mijn borst zat.'

Yakima zat op haar knieën voor de bank en lag half over Duco heen gebogen.

'Ook goeiemorgen Duco. Dát is een charmante opmerking. En me dan nog proberen te slaan ook.'

'Ik heb je toch geen pijn gedaan?'

'Mij? Echt niet hoor. Daar moet je wat meer voor doen, maar als je me voor iedere kus die ik je wil geven een klap geeft, dan word ik wel bont en blauw.' Yakima boog zich weer over Duco heen. Ze rook naar kokosolie en slaap. Haar haren kriebelden in zijn gezicht. Haar diepgroene ogen zochten die van hem. Het was net alsof haar ogen met een laserstraal werden verbonden met die van Duco.

'Ik zal je nooit pijn doen, dat beloof ik je.'

'Dat weet ik, Duco,' fluisterde Yakima. 'Jij bent de liefste jongen die er is.' Ze bracht haar lippen vlak bij die van Duco, sloot haar ogen en... kuste hem. Eerst heel voorzichtig, haar mond halfopen, met kleine zachte kusjes, alsof haar lippen nog niet precies wisten waar ze naartoe moesten.

Hij gaf ook kleine kusjes terug. Een megagolf pakte hem op en stuwde hem met razende vaart voort. Hij sloot zijn ogen en voelde haar tong zacht tegen zijn tanden drukken. Vanzelf ging zijn mond open. De golf werd hoger en sneller. Zijn tong speelde met die van haar. Nu stormde hij van de hoogste achtbaan naar beneden. Een rit waar geen einde aan leek te komen. Hij sloeg zijn armen om Yakima heen. Hij liet hij haar nooit los, dat wist hij zeker.

Van boven kwam er iemand de trap afgestommeld. Kiki kwam eraan!

Hij wilde snel gaan zitten, maar Yakima hield hem tegen en gaf hem nog een paar speelse kusjes voordat ze zich van hem af liet glijden.

'Kiki vindt het oké hoor,' zei Yakima.

'Ze hoeft het toch niet te zíén?' fluisterde Duco.

'Goedemorgen kinderen!' riep Kiki opgewekt. 'Lekker geslapen?' Ze liep naar het raam en trok de gordijnen open. Buiten was het grijs en het regende. De contouren van de auto's beneden op straat schemerden als vaag gekleurde wattenbolletjes door de beslagen ramen.

'Het belooft weer een stralende dag te worden,' zei ze. 'Maar daar laten we ons weekend toch niet door bederven. Toch jongens?'

'Dat wordt rennen zo,' zei Duco.

Ze douchten en ontbeten snel, pakten hun spullen bij elkaar en renden in looppas naar de tramhalte.

Yakima wilde net de weg op stappen om over te steken naar de tramhalte toen een naderende auto ineens een slingerende beweging maakte.

'Kijk uit!' gilde Duco en trok Yakima met een ruk terug op de stoep. De auto was recht op hen afgereden en scheerde rakelings langs de stoeprand. Hij reed dwars door een diepe plas die in de overgelopen goot stond. Een gordijn van bruin water spoot op. Druipend van het koude water keken ze de auto na.

'Moordenaar!' riep Yakima.

'Eikel! Imbeciel!' gilde Duco. 'Neem rijles in je oude roestbak!' Vreemd, het was net zo'n Volvo als ze thuis ook hadden. Door het opspattende water achter de auto kon hij het nummerbord niet lezen. Het kon toch niet dat Ilse of Gert-Jan net daar in de buurt waren? Hij schudde zijn hoofd. Dat zou wel heel toevallig zijn.

'Wat een gek. Gelukkig heb ik mijn sterke oplettende beschermbeer bij me,' zei Yakima. 'Moet je nou kijken, ik zie er zo echt niet uit.'

Duco glimlachte. 'Valt wel mee hoor.' Ze was totaal doorweekt. Haar haar hing in slierten voor haar gezicht en haar kleren zaten tegen haar lichaam geplakt. Nog steeds vond hij haar de mooiste van de wereld. 'Gaan we daar ons humeur door laten verpesten?' zei hij.

'Ben je gek,' riep Yakima,' We drogen zo in de tram wel op.'

'Gooooooooooood morning kids!' riep Larry toen ze de winkel in liepen. Hij stond midden in de winkel met aan de ene kant een stapel bruine verhuisdozen en aan de andere kant tientallen jongleer-props, gewikkeld in bobbeltjesplastic.

Verlekkerd liet Duco zijn ogen over de pakketjes glijden. Door het plastic heen schenen de vage contouren van de beste en duurste kegels: de Renegade Fatheads. Die hadden nog meer grip en balans dan zijn Rainbow Clubs. Maar ze kostten dan ook meer dan het dubbele.

'Mooie spullen, niet? Willen jullie me helpen met uitpakken en in de kasten leggen?' vroeg Larry. 'Het wordt vast druk vandaag. Alle jongleurs uit de provincie komen op hun vrije zaterdag hier naartoe.'

Onder het werk vertelden Duco en Yakima over de gebeurtenissen van de afgelopen dag.

'Zo, een logeerpartij en een moordaanslag. Interessant leven hebben jullie. Hoe ga je dat nou doen met je ouders, Duco. Je kunt toch niet voorgoed bij Yakima blijven?' zei Larry. 'Trouwens, zonder toestemming van je ouders kán je niet naar de circusschool.'

Altijd bij Yakima, stel je voor, dat zou pas geweldig zijn. Duco gooide een kegel die hij net had uitgepakt omhoog en ving hem op. 'Lekker soepel voelt die aan.' Hij zette hem in het juiste vak in de kast.

De winkeldeur ging open. Wie zou er al zo vroeg langskomen?

Zijn hart stond even stil. Het was Gert-Jan! Gehuld in zijn oude regenjas en met zo'n raar regenhoedje op. Hij stond druipend van de regen bij de ingang. Hoe kwam die nou hier? Hoe wist hij dat ze hier in de winkel zaten?

'Goedemorgen meneer,' riep Larry opgewekt. 'Kijkt u rustig rond, dan kom ik u zo helpen.'

Gert-Jan negeerde Larry en staarde naar Duco. 'Pak je spullen en kom mee,' commandeerde hij.

'Nee hoor, ik zit hier goed. En ik doe niet meer wat jij zegt.' Duco ging achter de toonbank staan.

'Je bent twaalf en ik ben je vader! Dus jij doet nog een paar jaar wat ik je zeg. Simpel als wat!' zei Gert-Jan. Hij beende de winkel in tot halverwege de afstand naar Duco. 'Nu! Anders kom ik je zelf even halen.'

Duco realiseerde zich ineens dat het die ochtend tóch Gert-Jan was geweest. 'Jíj reed ons vanochtend van de weg af! Je bent gek!'

'Ja, het was gewoon een aanslag!' riep Yakima.

Gert-Jans gezicht vertrok. 'Natuurlijk wilde ik jullie niet aanrijden. Ik maakte een stuurfout omdat ik mijn mobieltje opnam. Je moeder belde om te vragen of ik je al had opgehaald.'

'Maar je reed wel mooi door!' zei Duco. 'Je had toch ook kunnen stoppen? We waren drijfnat.'

'Kom je nu nog of hoe zit het?' zei Gert-Jan. 'Pak je spullen, we gaan naar huis!' Hij liep op Duco af.

Larry sprong tussen hen in. 'Meneer, met alle respect, geweld is niet de manier om uw zoon mee te krijgen. En zeker niet in mijn winkel. Als Duco meegaat, dan is dat vrijwillig.'

Gert-Jans ogen schoten vuur en zijn mondhoek begon te trillen.

'En wie bent u dan wel? Dit is mijn zoon, ja!'

'En ik ben Larry en ik help Duco en Yakima een beetje met hun acts. U heeft een getalenteerde zoon, ik geloof dat u dat al weet,' zei Larry vriendelijk.

Duco was naast Yakima gaan staan en sloeg een arm om haar heen. 'Ik ga niet mee. Ik woon nu bij Yakima. En ik kom nooit meer terug!'

'Hij mag zo lang blijven als hij wil.' Yakima stak uitdagend haar kin naar voren.

Gert-Jan keek boos naar haar en snoof als een roofdier. Hij deed nog een stap naar Duco.

Larry legde een hand op zijn schouder en hield hem tegen. 'Echt meneer, dit is geen goed idee. U zult uw zoon op een andere manier moeten overtuigen.'

'Jij maakt een enorme fout, jongeman!' zei Gert-Jan op een fluistertoon en met gebalde vuisten. 'Handen weg, nu!'

'Meneer, mijn winkel uit, nu!' zei Larry.

Ineens sprong Gert-Jan met zijn schouders laag en zijn armen gekromd voor zich tegen Larry aan en kegelde hem in één keer op zijn rug. Door de klap schoot het hoedje van Gert-Jans hoofd onder de toonbank. In een flits was Gert-Jan bij Duco en klemde zijn arm in een ijzeren greep.

'Meekomen, ventje,' schreeuwde hij. 'Nu! We zullen eens zien wie er de baas is!'

Hij stapte over Larry heen en sleurde Duco mee

naar de uitgang. De kracht waarmee Gert-Jan hem voortsleurde was zo groot, dat hij niets anders kon doen dan meelopen, om te voorkomen dat zijn arm uit de kom zou worden getrokken.

'Duco!' gilde Yakima. 'Blijf van hem af, griezel!'

Vlak bij de uitgang haalde Larry Gert-Jan in en tackelde hem van achteren in zijn rug. Door de klap liet Gert-Jan Duco los. Met een knal belandden de twee mannen tegen een stellage die krakend omviel. Ze werden bedolven onder een lawine van gekleurde kegels.

In één beweging zat Larry op de rug van Gert-Jan. Die probeerde zich vrij te worstelen, maar Larry was sterker.

'Laat me los! Ik maak je af idioot!'

'Rustig meneer. Zoals ik al zei is geweld nooit een goed idee om iets te bereiken.'

'Ik ben de baas over mijn eigen kind!'

'Er zijn grenzen meneer, en u heeft ze zojuist overschreden.'

Gert-Jan probeerde plotseling op te staan en Larry van zich af te werpen. Maar Larry gaf geen millimeter mee en bleef rustig op Gert-Jan zitten. Met één hand drukte hij Gert-Jans hoofd op de grond.

Hijgend liet Gert-Jan zijn armen gespreid opzij vallen en leek zijn verzet op te geven.

'Wat gaan we doen meneer?' vroeg Larry na een tijdje. 'We kunnen toch niet zo de hele dag op de vloer blijven liggen?'

'Oké, oké, je hebt gewonnen!' zei Gert-Jan. 'Ga nu maar van me af.'

'Als ik u loslaat, gaat u dan rustig weg?'
'Ja, ja, maar laat me nu los.'

Larry stond op en wilde Gert-Jan op de been helpen. Met een wilde armzwaai sloeg hij Larry's helpende handen van zich af.

Duco stond te trillen op zijn benen. Gert-Jan was echt doorgeslagen. Hij had zijn arm er bijna afgerukt. Gelukkig was er niemand gewond geraakt. Hij keek even naar Larry die rustig bij de deur stond en hem openhield. Die vent was echt sterk. Die had net gedaan alsof de kracht van Gert-Jan niet bestond.

Zonder Duco aan te kijken klopte Gert-Jan zijn kleren af en liep naar de uitgang. In de deuropening bleef hij staan en keek Duco aan met de meest minachtende blik die hij ooit had gezien. 'Weet je Duco, blijf maar weg ook. Ik ben hier omdat je moeder me stuurt om haar lieve engeltje op te halen.' Gert-Jan sprak de woorden zo fel uit dat er spuugjes uit zijn mond vlogen. 'Kijk nou wat ervan komt met al dat gezeur over het circus. Nog geen dag weg en je zit in een achterbuurt in een tweedehands dumpwinkel van een rasta-hasjhoofd, die als een ouwe hippie vrede predikt maar wel een oude man van achteren durft aan te vallen. Mooie basis om later wat op te bouwen!' Hij draaide zich om en liep de winkel uit.

Even was het stil.

Larry wilde net de deur dichtdoen toen Duco zijn vader achterna rende. Buiten de winkel bleef hij midden in de steeg staan.

'Ik kom echt nooit meer terug!' gilde hij door de steeg. 'En jij bent de grootste eikel die er is!'

Hij liep de winkel weer in en deed de deur zachtjes dicht.

's Avonds zaten Duco en Yakima met Kiki aan tafel. Ze aten een stoofpotje van allerlei soorten vis. De keuken rook heerlijk naar knoflook en wijn.

'Dit aten we vroeger bij mijn oma,' zei Kiki. 'Ze kookte dat vaak toen ze vroeger met haar circus langs de Middellandse Zeekust trok. Ze reisden in zes maanden van Sevilla via Barcelona, Nice en Genua, zo naar Rome, van Spanje naar Italië. Dat was nog voor de Tweede Wereldoorlog.'

'Is dat die vrouw op de salontafel?' vroeg Duco.

Yakima knikte.

'Dus jullie zijn de tweede en derde generatie van een circusfamilie?'

'Mijn oma, jonkvrouw Odette van Tuyll tot Ouderkerke, was al acrobaat toen ze geboren werd,' vertelde Kiki. 'Het zat in haar DNA. Als kind wilde ze al bij het circus. Helaas waren rangen en standen in die tijd nog echt belangrijk. Haar vader, de baron, zag de reputatie van zijn hele familie in gevaar komen. Een dame van stand die bij die zigeuners in het circus werkte, stel je voor. Hij heeft haar gedreigd met hel en verdoemenis. Hij heeft haar onterfd. Hij heeft zelfs nog via de koningin geprobeerd haar adellijke titel af te nemen. Niets hielp; wie het heilige circusvuur in zich heeft, laat zich niet stoppen.'

Duco luisterde ademloos. Hij zag het zo voor zich. Een ouderwets circus met woonwagens met paarden ervoor, trekkend door het warme Zuid-Europa.

'Leeft ze nog?' vroeg hij.

'Nee, ze is drie jaar geleden gestorven,' zei Yakima. 'Ze heeft een mooi leven gehad, hè mam?'

Buiten klonk er een enorme knal.

'Wat was dat?' riep Kiki.

Yakima rende naar het raam.

'Er is een auto tegen het verkeerszuiltje op de hoek aan gereden... Volgens mij is het je vader weer, Duco! Het is dezelfde auto als vanochtend!'

'Ik ga wel even kijken,' zei Kiki.

Duco rende ook naar het raam. Nu herkende hij meteen hun auto beneden op straat. Luid geronk van de motor en gegier van slippende banden echode door de straat. Er kwam rook onder de auto vandaan maar hij bewoog voor geen millimeter. Hij was over de vluchtheuvel geschoven en zat muurvast.

Zijn vader zat hem gewoon te stalken! Hij was echt gek geworden. Waarom liet hij hem niet met rust, zoals hij vanochtend had geroepen.

Kiki liep de straat op, naar hun auto.

Gert-Jan stapte uit en begon te schreeuwen tegen Kiki, maar Duco kon door het raam heen niet verstaan wat hij allemaal riep.

'Ik ga erheen. Straks doet hij je moeder wat aan,' zei Duco.

'Als hij jou ziet wordt hij vast nog bozer,' zei Yakima. 'Mijn moeder kan prima voor zichzelf zorgen.'

Aan de overkant van de straat werden er ramen opengeschoven. Overburen hingen uit hun raam om te zien wat er aan de hand was.

Gert-Jan gooide zijn armen omhoog en Kiki schudde haar hoofd heftig heen en weer. Hij pakte haar bij haar schouders.

Duco hield zijn adem in. Straks deed hij haar pijn. Maar het leek eerder alsof hij haar smeekte dan dat hij haar iets wilde aandoen. Zo stonden ze bijna een minuut. Gert-Jan schreeuwde niet meer. Toen liet hij Kiki los.

Ze draaide zich om en liep terug.

Er stopte net een politieauto met het zwaailicht aan.

'O, o, nu is hij er echt bij,' zei Yakima.

Duco staarde naar de knipperende lichten. Wat zou Gert-Jan tegen Kiki gezegd hebben? Vast allemaal onzin. Hij hoorde de voordeur dichtslaan en Kiki kwam de kamer weer binnen.

'En wat heeft hij gezegd? Vertel, vertel!' riep Yakima.

'Rustig, rustig dametje,' zei Kiki. 'Niet zo sensatiebelust. We doen niet mee aan een real life soap, of zo.'

Duco keek weer naar buiten. De agenten stonden met een dik notitieblok bij de auto van Gert-Jan. Hij stond er heel sullig bij. Met gebogen hoofd en afhangende schouders, alsof hij een standje van de schoolmeester kreeg.

'Je vader is erg geëmotioneerd,' zei Kiki.

'Hij is gek en hij loopt Duco ook nog te stalken,' riep Yakima.

'Yak, nu even je mond houden!' zei Kiki streng. 'Het gaat niet over jou, maar over Duco.'

'Ik heb het toch zelf gezien!' Yakima liet zich op de bank vallen.

'Duco, je vader gedraagt zich misschien vreemd,' zei Kiki. 'Maar ik denk dat hij heel verdrietig is. En boos. Hij is een beetje in de war. Hij wilde met je spreken, maar ik heb gezegd dat hij mijn huis niet in komt in zijn toestand. Hij kalmeerde gelukkig een beetje en heeft me gevraagd hem te helpen, zodat hij met je kan praten.'

'Ik hoef niet te praten hoor,' zei Duco. 'Ik weet toch al wat hij gaat zeggen.'

De agenten waren bezig de Volvo van de vluchtheuvel af te duwen.

'Ik begrijp ook wel dat je hem even niet wilt zien, Duco. Aan de andere kant, het blijft toch je vader.'

'Ik hoef hem nooit meer te zien! Hij kan niets anders dan mij afzeiken!'

'Daarom heb ik voorgesteld dat jullie op een andere manier communiceren, via e-mail of zo. Dan hoef je hem niet te zien en kan hij je ook niet meesleuren.'

'Als hij mij een e-mail wil sturen, kan ik dat niet tegenhouden.'

De agenten tikten met hun hand tegen hun pet en stapten in hun auto. Gert-Jan keek naar het huis van Kiki; Duco dook snel weg achter een plant in de vensterbank. Toen hij weer keek, zat Gert-Jan al in zijn auto en reed weg.

'E-mail is geduldig,' zei Yakima. 'Je hoeft je mail per slot van rekening niet te lezen.'

'Het was leuk én het was hard.' Aan tafel ging Kiki verder met haar verhaal. 'Vooral toen ik nog heel klein was. Op mijn vijfde moest ik iedere ochtend, voordat ik naar een kleuterschool in de buurt ging, de paardenstront uit de stallen halen. Die beesten konden poepen, niet normaal. Dat werk was nog tot daaraan toe. Het vervelende was dat ik werd gepest op school omdat ik naar paardenmest stonk. En omdat we van stad naar stad reisden, wenden de kinderen ook niet aan ons. Die zagen ons als wezens van een andere planeet.'

'De planeet Bolus,' riep Duco.

Yakima rolde bijna van haar stoel van het lachen.

'Op mijn zesde moest ik naar kostschool,' vertelde Kiki verder. 'Dat was vreselijk. Ik zag mijn ouders alleen in het weekend en in de vakanties. En als het circus te ver weg was helemaal niet.' Ze nam een slok wijn en staarde voor zich uit.

'Maar Yakima mag na de zomer wel weg van je?' vroeg Duco.

Kiki knikte. 'Yak is van de zomer al dertien. En zij wil het zélf heel graag, het is haar eigen keuze. Ik had op mijn zesde niets te kiezen...' Ze aaide Yakima even over haar wang.

'Mijn vader vindt het hele circusidee niets,' zei Duco. 'Volgens mij wil hij mij het liefst vastbinden.'

'Weet je Duco, soms moeten ouders streng zijn,' zei Kiki. 'Het gaat er niet om of het circus goed of fout is, maar of het goed voor je ontwikkeling is. Yakima volgt haar hart. En ze heeft het talent van haar oma, nog meer dan ik, en ze heeft de droom om echt heel goed te worden en te gaan optreden in de mooiste shows. Wie ben ik dan om haar tegen te houden?'

Yakima zat te stralen naast haar moeder. 'Lieve

moeder heb ik hè?' Ze omhelsde Kiki.

'En waarom ben jij niet meer bij het circus?' vroeg Duco.

'Mijn rug was versleten en John, Yakima's vader, kreeg een hele goede baan hier in de stad als advocaat.'

'Hij was toch jongleur?' zei Duco.

Kiki begon te lachen. 'Dat heeft Yak je zeker verteld. Hij jongleerde vroeger een beetje. Vooral om indruk op mij te maken. Hij had veel meer talent als advocaat.'

Duco lag te luisteren naar het tikken van een klok in de kamer. Een klein streepje maanlicht scheen door een spleet tussen de gordijnen naar binnen. Yakima had hem zijn dekbed en kussen gebracht en was met een kushandje weer verdwenen. Hij had gehoopt op meer gezoen met haar.

Hij dacht aan de opmerkingen van Kiki over de circusschool. Misschien kon zij nog eens met Gert-Jan gaan praten. Want zonder Gert-Jans toestemming zou het lastig worden.

Ineens voelde hij iets door zijn haar kruipen. Hij wreef wild met zijn hand over zijn hoofd en voelde een andere hand. Een onderdrukte giechel klonk achter hem.

'Yakima!'

'Schuif eens op,' giechelde Yakima. Ze gleed onder het dekbed en kronkelde zich om zijn lichaam heen. 'Wat ben je lekker warm,' fluisterde ze.

Hij sloeg zijn armen om haar heen. 'Je hebt koude voeten,' fluisterde Duco terug. Het kon hem niets schelen dat ze koude voeten had. Hij gloeide zo heftig dat hij zelfs een ijsberg zou kunnen ontdooien.

Ze lagen zo dicht tegen elkaar dat hun neuzen elkaar bijna raakten. Zo lagen ze een tijdje naar elkaar te kijken. Hij aaide Yakima over haar hoofd. Ze begon vlinderkusjes over zijn gezicht te geven. Hij sloot zijn ogen. Ze rook lekker naar zoete parfum. Hun monden raakten verstrengeld in een kus die een uur leek te duren. Hij zat weer op zijn golf en liet zich meevoeren terwijl hij Yakima stevig vasthield.

'Mag dit echt van je moeder?' fluisterde Duco.

'We doen hét toch niet? Dan moet ik eerst aan de pil. We liggen alleen een beetje te zoenen,' zei Yakima.

Als Yakima dit 'een beetje zoenen' noemde, dan was Duco heel nieuwsgierig naar wat dan echt zoenen was. Hij lag nu al bij vlagen naar adem te happen.

'Zullen we proberen een beetje te slapen?' vroeg Yakima.

'Ja, goed idee. Morgen is het zondag en kunnen we de hele dag oefenen.'

Yakima gaf hem nog een kus en draaide zich om, zodat ze als twee lepeltjes op de bank lagen. Hij sloeg zijn arm om haar heen. Al snel voelde hij dat haar ademhaling rustiger werd en haar lichaam zich met schokjes ontspande. Hoe kon ze zo snel in slaap vallen? Hij was klaarwakker. Hier lag hij op de bank met het liefste meisje van de wereld.

Gek, tot een paar weken geleden keek hij wel

naar meisjes, alleen hadden ze nooit teruggekeken. Logisch, hij was veel te dik om leuk te zijn voor een meisje. Hij kwam er nu achter dat hij misschien wel had gekeken, maar niets had gezien. Yakima kon toch iedere jongen krijgen die ze wilde? Toch had ze hém gekozen. En hij was nog steeds groot, hoewel hij aan het afvallen was. Nu lag ze in zijn armen. Hij wilde dat deze nacht nooit meer voorbij zou gaan.

14

Hij stond midden in een circuspiste tot aan zijn knieen in het zand. Het stonk naar paardenmest en hij kon geen stap verzetten. Lichten, feller en warmer dan de zon, verblindden zijn ogen. Het publiek was doodstil. Trommels roffelden onheilspellend.

Boven in de nok van het circus hing Yakima aan een trapezerek. 'Duco, je moet me vangen!' riep ze van boven.

Wat moest hij doen? Zij hing daar toch veel te hoog? Ze ging hem verpletteren als ze op hem viel; al haar botten zouden breken als hij haar niet opving. En als hij haar wél opving, die van hem erbij. Hij was toch jongleur? Geen acrobaat! De beat van de muziek knalde zo hard dat zijn oren er pijn van deden. Yakima liet de trapeze los...

'Duco, Duco, voorzichtig een beetje, je knijpt me fijn,' klonk het vlak bij zijn oor. Hij deed zijn ogen open. Yakima! Hij ontspande zijn armen en liet haar los uit zijn omklemming. Ze lagen nog steeds lepeltje lepeltje op de bank. Zijn linkerarm, waarop Yakima lag, voelde helemaal lam. Hij kon er ieder moment afvallen.

'Dank je, dat is beter.' Yakima draaide zich om en gaf hem een kus. Duco bevrijdde zijn linkerarm en zwaaide ermee door de lucht. Langzaam verdween het tintelende gevoel.

'Sorry, ik droomde dat ik je moest opvangen van de trapeze. Zo raar, je liet je gewoon vallen.'

'Deden we samen een act? Lijkt me geweldig, mijn grote sterke beer die me opvangt als ik val.'

Duco ging op zijn knieën zitten en deed de gordijnen een klein stukje uit elkaar.

'Wat doe je?'

'Ik kijk of het mooi weer is.' Hij speurde de straat beneden af. Na een paar minuten haalde hij opgelucht adem; behalve het scheve verkeerszuiltje was er geen spoor van de Volvo te zien.

Na het ontbijt ging Duco alleen naar Larry. Yakima ging eerst naar haar acrobatiekclub waar ze op zondag altijd trainde.

Duco was al aardig gevorderd met de achterlangsroutine en probeerde extra moves toe te voegen. Hij gooide een kegel omhoog met rechts en ving die achter zijn rug op met zijn linkerhand en gaf hem achterlangs snel door aan rechts waarna zijn rechterhand de kegel weer vanaf de voorkant omhooggooide. En dat met drie kegels tegelijk. Het drammerige mannetje hoorde hij niet zo vaak meer, alleen nog maar als hij wat minder geconcentreerd was. De meeste tijd had hij het gevoel dat hij in een soort trance zat, alsof zijn handen een eigen persoonlijkheid hadden.

Larry stond naar Duco te kijken. 'Man, ik krijg ook zin om te oefenen als ik jou zo bezig zie,' riep Larry ineens. 'Zullen we samen eens wat proberen? Kom met je rug tegen mijn rug staan.'

Larry gooide een kegel achterover en Duco moest die opvangen, gevolgd door een tweede en een derde. Tegelijk moest Duco hetzelfde doen met zijn drie kegels. Binnen een paar seconden stuiterden de kegels op hun kop.

'Kunnen we dit niet met een helm op oefenen?' zei Duco. 'Ik krijg zo allemaal bulten op mijn hoofd.'

'Ha! Heel goed dat er ook oefeningen zijn die je niet direct kan,' zei Larry met een tevreden grijns. 'Ik kreeg al bijna een minderwaardigheidscomplex van je.'

Wat was Larry altijd positief en vrijgevig met complimenten. Zo anders dan bij zijn vader. Duco moest ineens denken aan vroeger; als hij met Gert-Jan probeerde te spelen voelde hij zich vaak een bedelaar. Zo een die met afgezaagde benen op een karretje op straat zit en zijn bedelnap omhoog reikt naar de voorbijgangers. Alleen bedelde hij om complimentjes, niet om geld. En zoals op straat de mensen een bedelaar meestal zonder te kijken voorbijlopen, had hij het gevoel dat Gert-Jan hem negeerde. En als hij dan eens een complimentje kreeg was hij blij. Maar dat duurde nooit lang, want de volgende dag leek het of er niets was gebeurd. Dan hing rond Gert-Jan weer die dreiging, die ieder moment tot uitbarsting kon komen. De angst daarvoor verlamde hem. Daarom ging er zo vaak iets mis, of begon hij er niet eens aan omdat hij wist dat het toch niet goed zou gaan.

Na de lunch probeerde Duco door te gaan met zijn acts. Hij voelde zich bij Larry zo vrij als een vogel, maar bedacht tegelijk zoveel plannen dat hij zich niet goed kon concentreren: de achterover-act met Larry perfectioneren, met Yakima zoenen, op internet filmpjes van jongleurs bekijken, met Yakima zoenen, zelf een video van zijn act maken, met Yakima zoenen, de zijwaartse routine uitbouwen, met Yakima zoenen, de 719131 siteswap met vier ballen beginnen, met Yakima zoenen...

Hij begon drie balletjes hoog te houden met de allergemakkelijkste kruisworp, de cascade. Na een paar minuten realiseerde hij zich dat hij nog steeds met dezelfde truc bezig was. Hij ving de balletjes op en keek de winkel rond.

Larry zat achter de computer iets te doen. Op de wanden hingen foto's van beroemde jongleurs en affiches van circussen. Zijn blik bleef rusten op een foto van de beroemde Dwight McNollan, die een burst met twaalf balletjes liet zien. Hij liet het woord 'burst' even in zijn hoofd ronddraaien. Mooi woord, het beschreef precies wat er gebeurde: een explosie die je maar even kon zien, voordat alle balletjes weer in de handen van de jongleur landden.

Die man had natuurlijk al over de hele wereld opgetreden: Londen, Milaan, Tokio, New York, Barcelona, Amsterdam. Ooit had die Dwight besloten om te gaan jongleren. Hoe oud zou hij toen zijn geweest? Was het een bewuste keuze? Om bijvoorbeeld niet te gaan studeren voor bakker of voor advocaat? Zouden zijn ouders het erg hebben gevonden dat hij geen normale baan had gehad? Dat hij geen beroemd hersenchirurg was geworden, of een gewone slager?

'Larry?'

Larry keek op van zijn toetsenbord.

'Larry, hoe heb jij ooit je ouders overtuigd en toestemming gekregen om te gaan jongleren?'

Larry keek Duco peinzend aan en staarde weer naar zijn toetsenbord. 'Op mijn zevende was ik altijd met mijn vader op Bondi Beach, het strand aan de zuidoostkust van Australië, vlak bij ons in de buurt. Hij leerde mij toen surfen. Je hebt daar enorme golven. Echt angstaanjagend, metershoog. Niet zoals dat beetje schuim dat jullie hier voor de kust hebben. Hij was Australisch surfkampioen geweest. De eerste keren gingen we samen de golven in op een groot surfboard. Eerst liggend de golven af om het gevoel te krijgen. Daarna mocht ik het zelf proberen. Surfen is echt lastig. Je moet op zo'n board je evenwicht bewaren op een gigagolf, die je het liefst wil verzwelgen.' Larry liep vanachter zijn bureau vandaan.

'Kijk, zo moet je staan.' Hij stond met gebogen benen, het ene voor het andere, met zijn armen gespreid. 'Ik ben honderdduizend keer van dat board af gevallen. Ik werd er gewoon moedeloos van. En geen woord van kritiek gaf mijn vader. Hij maakte liever een grapje of gaf me een tip voor de volgende ride...' Larry zweeg. Hij had tranen in zijn ogen.

'Ik was pas dertien toen hij doodging. Hij was met vrienden aan het vissen op zee. Een freak-wave... een enorme vloedgolf op volle zee heeft hun boot gegrepen en tot wrakhout vermorzeld. Ik heb hem nooit kunnen vragen of ik serieus mocht gaan jongleren. Maar ik weet zeker dat hij het geweldig zou hebben gevonden.'

Duco had ademloos zitten luisteren. Wat een geweldige vader en wat een drama dat hij zo aan zijn eind was gekomen. Wat moest je daar nou op zeggen?

'En je moeder, wat vond die ervan?'

'Mijn moeder was de beste. Die verwende mij na mijn vaders dood zo erg. Ik mocht alles wat ik wilde. Het maakte haar echt niets uit. Al werd ik houthakker of president. Als ik maar voorzichtig in het water was, dan was het goed.'

'Dus jij hebt uiteindelijk zelf beslist?'

Larry knikte. 'Ja en nee. Misschien had mijn moeder toch liever gehad dat ik iets serieus was gaan studeren. Maar ik ben er beetje bij beetje ingerold. En voor ik het wist was ik verslaafd.'

Verslaafd aan jongleren, dat klonk bijna als een ziekte. Je kon ook verslaafd raken aan de heroïne of aan andere drugs. Dat was slecht. Verslaafd aan jongleren klonk als een prettige ziekte. En je viel er ook nog van af. Duco gooide zijn balletjes weer in de lucht. Hij deed zijn ogen dicht en probeerde blind te jongleren. Het ging een paar seconden goed, toen vielen de balletjes op de grond.

'Dat is een perfecte oefening, Duco,' zei Larry. 'Als je een keer nerveus bent voor een groot optreden of zo en je denkt dat je niets meer kan: even blind gooien met drie balletjes. Word je weer rustig.'

De winkeldeur ging open: Gert-Jan! Hij bleef in de deuropening staan.

Verbaasd keek Duco naar zijn vader. Gaf die man het dan nooit op? Had hij dit keer misschien een touw of handboeien meegebracht om hem mee te sleuren?

Larry sprong meteen tussen beiden in.

Duco keek nog eens goed naar Gert-Jan. Die zag er heel anders uit dan de vorige keer. In ieder geval niet alsof hij van plan was weer te gaan vechten. Zijn gezicht stond rustig, vriendelijk bijna.

'Duco, ik wil dat je even met me meegaat,' zei Gert-Jan met een halve glimlach op zijn lippen. Langzaam liep hij de winkel in.

'Waarom? Ik ben aan het oefenen.'

'Dat begrijp ik, maar ik wil je iets laten zien. Het duurt een uurtje. Ik beloof niet te gaan trekken of schreeuwen. Straks breng ik je hier weer terug of naar je vriendin.'

Duco keek naar zijn vader. Zou hij misschien tot inkeer zijn gekomen? Hij kon het zich nauwelijks voorstellen. Als Gert-Jan zich eenmaal ergens in had vastgebeten, liet hij niet meer los.

'Zal ik anders ook meegaan?' stelde Larry voor.

'Nee, dit is iets tussen vader en zoon,' zei Gert-Jan. 'Ik ga echt geen rare dingen doen, Duco. Ik wil je alleen iets laten zien.'

Dat was heel andere koek dan de scènes van de afgelopen dagen. Duco vroeg zich af wat Gert-Jan hem wilde laten zien. Dat vreemde lachje maakte hem nieuwsgierig en ongerust tegelijk.

'Oké, ik ga even mee. Maar niet langer dan een uur.'

'Beloofd!'

'Weet je het zeker, Duco?' vroeg Larry.

'Het is tóch mijn vader.'

'Je hebt gelijk. Als je niks probeert dan weet je het ook nooit.' Larry gaf Duco een klap op zijn schouders. 'Neem voor de zekerheid je mobieltje mee. No offense, meneer van Staveren.'

Gert-Jan stond al bij de winkeldeur en negeerde Larry's opmerking. 'Kom, we gaan.'

'Later,' riep Larry.

Zwijgend liepen Gert-Jan en Duco de steeg uit.

'Waar gaan we naartoe?' vroeg Duco.

'Even geduld. Het is een kwartiertje rijden.'

Ze reden het centrum van de stad uit. Als snel reden ze door de buitenwijken aan de westkant van Amsterdam. Duco vroeg zich af hoe mensen in zo'n saaie omgeving konden wonen. Allemaal grote hoge grijze dozen met een stukje groen ertussen. Iedereen kon zo bij elkaar naar binnen kijken.

Op de parkeerplaats van een van de flats stond een bestelbusje in de fik. De vlammen sloegen al uit de gesprongen voorruit. Een groepje jongens stond eromheen te dansen. Met een bloedgang kwam een brandweerwagen met zwaailicht en gillende sirene uit de tegenovergestelde richting aanrijden.

'Lekker zootje is het hier weer,' bromde Gert-Jan.

Ze reden nog verder en kwamen bij de sportparken aan de rand van de stad. Duco zag veel voetbalvelden, en af en toe een honkbalveld. Op de meeste velden werden wedstrijden gespeeld. Mensen in gekleurde shirts liepen met zijn allen achter een bal aan. Langs de lijn stond een handvol mensen te kijken.

Gert-Jan draaide de parkeerplaats van een sportpark op. SPORTPARK DE TEAMGEEST stond er met witte letters op een zwart bord boven op het toegangshek.

Vaag herkende Duco de naam en de omgeving. Hier zat toch de American football-club van Gert-Jan?

Gert-Jan zette de auto neer en ze stapten uit. 'We moeten even een stukje lopen.' Ze liepen de parkeerplaats over, langs het toegangshek, het sportpark op.

'Je was een jaar of vijf toen ik je hier een keer mee naartoe heb genomen om een wedstrijd van de Animals tegen de Scouts te kijken,' zei Gert-Jan lachend. 'Je kreeg per ongeluk een bal op je hoofd, en daarna wilde je nooit meer mee.'

Duco kon zich er weinig van herinneren. Hij kende de sport alleen maar van de stoere verhalen die Gert-Jan regelmatig vertelde. Meestal luisterde hij er nauwelijks naar. Het boeide hem totaal niet.

Aan het begin van een lang pad bleef Gert-Jan even stilstaan. In de verte liepen een paar mensen.

'Moet je kijken, wat een eind. Achthonderd meter lopen om bij ons clubhuis te komen.' Ze begonnen het pad af te lopen.

'Vijftien jaar geleden speelde ik hier zelf. Hoeveel mensen denk je dat wij per wedstrijd hadden?'

Wat zat hij nou te zeuren over toeschouwers? Je zag toch zo dat geen hond zin had om zo'n stuk te lopen voor een partijtje American football?

'Nou, kom op, het is belangrijk!'

'Oké dan...' Duco dacht even na. Een troep spelers en wat coaches en de tegenstander erbij en nog wat mensen voor de kantine en het veld. Als nou de helft daarvan een vriend had die zo gek was om dat eind te lopen...

'Vijfenzeventig mensen?'

'Fout!'

Duco voelde boosheid opkomen. Als hij hem had meegenomen om hem weer af te zeiken...

'Niet gek geschat hoor,' voegde Gert-Jan er haastig aan toe. 'Maar hier kwamen op wedstrijddagen tweeduizend man kijken. Twee tribunes vol aan beide zijden van het veld, en dat in zo'n tochtig sportpark.'

Duco kon het zich nauwelijks voorstellen.

'Hier speelden we alleen Nederlandse competitie. Europese wedstrijden speelden we in echte stadions. Tijdens de grote finale in Milaan hadden we dertigduizend toeschouwers. Daar werden wij Europees kampioen.' Gert-Jan had de woorden uitgesproken alsof hij een toespraak hield. Zijn ogen glansden en straalden. Hij zag er ineens stukken jonger uit, vond Duco.

'We vlogen met zijn allen naar Italië voor het eindtoernooi,' ging Gert-Jan verder. 'Daar hebben we eerst de Finnen verslagen en toen de Duitsers en in de finale troffen we de Italianen. Die hebben we in hun eigen huis verslagen met 21-23.

Het was een gekkenhuis. Alles hebben die pizzabakkers gedaan om ons uit ons ritme te brengen. 's Nachts lawaai gemaakt voor ons hotel, zodat we niet konden slapen. Wel een trainingsveld ter beschikking gesteld, maar het gras van twintig centimeter lang zogenaamd vergeten te maaien. Spionnen in het hotel gezet. Geprobeerd de scheidsrechter om te kopen. Wij lieten ons niet gek maken.

We waren op een missie. We hadden vijfentwintig, dertig uur per week getraind. We hadden de beste spelers, superatleten, de beste coaches... Niets kon ons tegenhouden... Discipline, energie en focus.' Gert-Jan bleef staan.

'Dat is wat ik jaren heb gedaan, Duco. Als iemand in die tijd vroeg wat ik deed, dan antwoordde ik niet dat ik economie studeerde, maar dat ik American football-speler was. Dan kwam er een hele tijd niets en pas daarna kwam eventueel studie of mijn vriendin. Dat was mijn leven in die tijd, daar heb ik alles voor gegeven.'

Gert-Jan straalde helemaal terwijl hij tegen Duco sprak. Zo kende hij zijn vader niet. Zoveel warmte en trots. Het leek een heel ander mens.

Ze waren aangekomen bij het hek dat om het terrein van de club stond.

AMERICAN FOOTBALL TEAM

AMSTERDAM ANIMALS

HOME OF THE BEST TEAM IN EUROPE

...stond er met uitgebleekte rode letters op een wit bord.

'En hier gebeurde het allemaal,' zei Gert-Jan terwijl ze het terrein op liepen. Hij maakte een weids gebaar met zijn armen.

Voor hen lag een sportveld met veel gele vlekken en kale plekken. Je kon nog vage krijtstrepen zien die dwars op het veld waren getrokken. De wind waaide hard over de kale vlakte en joeg dorre blaadjes wervelend tegen de bomen en de verwilderde struiken die langs de zijkanten stonden. De doelpalen, in de vorm van een hoekige letter Y, hingen scheef. Er zaten meer bruine roeststrepen op dan gele verf. In een hoek stond een groot scorebord met daarop de uitslag van de laatste wedstrijd: ANIMALS 14 – VISITORS 35. Er zat een groot gat in het scorebord, net alsof iemand er met een raket dwars doorheen had geschoten. Duco kon alleen nog de laatste letters van de sponsornaam lezen: LINE stond er.

Ze liepen naar het vervallen clubgebouwtje dat op de kop van het veld stond. Overal langs de kozijnen en goten hingen lappen gebladderde verf. Alsof het gebouw last had van een ernstige vorm van schurft. Voor zeker de helft van de ramen zaten kale houten planken gespijkerd. De ramen waar nog wel glas in zat waren zo vies dat je nauwelijks nog naar binnen kon kijken.

'Hier hebben we feesten gevierd, dat wil je niet weten. Alle kampioensfeesten, samen met de cheerleaders.'

'Hadden jullie van die dansmeiden met van die kwastjes in de hand?'

'De mooiste van het land! Kom, ik laat je ook even de kleedkamers zien.'

Ze liepen langs de zijkant van het gebouw. Bij de deur reikte Gert-Jan naar een richel boven de deur.

'Ha, dat doen we dus nog steeds zo!' zei hij tevreden. Hij pakte een roestige sleutel van de richel en stak hem in het slot. Met twee handen om de sleutel draaide hij het slot knarsend open. De rode deur zat klem en Gert-Jan moest keihard trekken om de deur open te krijgen.

Ze schuifelden de halfduistere smalle gang in, die vol lag met kluiten modder. Het rook er muf. Door de vuile bovenlichten viel wat miezerig licht naar binnen.

Gert-Jan liep een van de kleedkamers in. Aan de rekken tegen de muur hingen helmen en schouderbeschermers schots en scheef door elkaar. In een hoek stond een halterbankje met een stang erop met aan ieder eind zwarte schijven.

Duco bleef in de deuropening staan. Een gore zurige lucht sloeg hem in zijn gezicht. Hij deinsde terug de gang in. Het leek alsof je een geitenstal inliep in plaats van een kleedkamer.

'Ruik je dat?' Gert-Jan snoof diep. 'Lekker hè? Dat is de geur van football. Soms trainde je zo hard dat je puur ammoniak zweette.'

Nou, als dat de geur van football was... Duco probeerde alleen door zijn mond te ademen. Vergeleken met deze kleedkamer was een geitenstal een fris geurende lentebloem. Hij moest ineens aan de heerlijke zoete kokosgeur van Yakima denken.

'Hier was ik zes dagen per week te vinden. En reken maar dat ik heb bijgedragen aan de opbouw van de heerlijke lucht die hier hangt. Het zit tot in de stenen.' Gert-Jan ging zitten en gebaarde Duco om naast hem te komen zitten.

'Nou, wat vind je ervan, van het Animals-home?'

Duco twijfelde een beetje. Wat wilde Gert-Jan nou met zo'n vraag? Waarom liet hij hem dit armoedige zootje zien? Moest hij echt zeggen wat hij ervan vond? Het was tenslotte nog steeds de club van Gert-Jan.

'Kom op, vertel, wat vind je van dit cluppie, van deze plek?'

'Het is hier wel oud,' zei Duco. Volgens hem waren sommige kleikluiten in de gang ouder dan hijzelf.

'En?'

Moest hij nog meer zeggen?

'Een paar verse graszoden zouden geen kwaad kunnen...'

'Gelul, Duco! Zeg me wat je echt vindt!' Gert-Jan schreeuwde opeens.

Hij schoof zover mogelijk van zijn vader vandaan. Zie je wel, hij had niet moeten meegaan. Langer dan tien minuten kon een normaal gesprek met hem niet duren.

'We gaan hier niet weg voordat je eerlijk je mening geeft!'

Wat kregen we nou? Gert-Jan zou hem toch niet in deze gore geitenstal vasthouden? Dat ging echt niet gebeuren. Hij had al besloten de belachelijke eisen van zijn vader niet meer te accepteren, dus dat ging nu ook niet gebeuren. Als Gert-Jan zo begon dan zou hij hem zijn vet geven. Hij vroeg er zelf om.

'Dit sportpark is koud en grijs en deze club is helemaal een armoedige troep,' riep Duco. 'Een knollenveld waar je je enkels op breekt... Een kantine waar een dakloze nog niet in zou willen wonen, laat staan in deze gore geitenstal. Jullie zijn misschien ooit kampioen geweest, maar deze club is het lachertje van de week, wat zeg ik, van de eeuw!' De laatste zin had hij bijna uitgeschreeuwd. Licht nahijgend keek hij naar zijn vader. Hij wist dat hij Gert-Jan zwaar had beledigd, misschien wel tot in het diepst van zijn ziel. Maar hij was niet bang voor zijn reactie. Het ergste dat er kon gebeuren was een klap voor zijn kop. Dan zou hij terugslaan. Hij wilde opstaan, weg uit die geitenlucht.

'Even blijven zitten!' Gert-Jan glimlachte.

Duco knipperde met zijn ogen van verbazing.

'Goed gezegd en gezien, Duco. Je hebt helemaal gelijk.'

Duco kon zijn oren niet geloven. Hij zeek Gert-Jan af en die gaf hem nog gelijk ook?

'Luister, dit plekje hier was mijn lust en mijn leven. We moesten zelfs geld meebrengen om te mógen spelen. Dat kon ons niets schelen, want we hadden de toekomst. Dan kregen we een contract. Alles heb ik ervoor gegeven. We trainden dertig uur per week. Maar ineens stortte de hele sport in elkaar. Sponsors liepen weg, alles...' Hij zweeg even en wreef met zijn handen over zijn gezicht.

'In plaats van dat we roem en geld vergaarden, bleven we met niets achter. Ik ben gestopt op mijn dertigste. Te laat om met een echte carrière te starten. Ik heb uiteindelijk iets gevonden, maar het is saai en betaalt slecht. Als ik eerder serieus was gaan werken, was ik veel verder gekomen...' Gert-Jan staarde treurig voor zich uit.

'Ik heb mijn passie gevolgd en het heeft me niets

opgeleverd,' ging hij verder. 'En nu blijkt mijn zoon een supertalent te hebben voor jongleren. En ik moet toegeven Duco, wat ik heb gezien ziet er heel goed uit. Je wil zelfs naar het circusinternaat! Wat is dan de kans dat je later een goede baan zal vinden? Weet je, het circusleven is avontuurlijk, maar ook heel zwaar. Alleen maar een paar supersterren verdienen goed, de rest zit in de armoede. Ik zou het vreselijk vinden als dat met jou zou gebeuren. Daarom vind ik het belangrijk dat je je gewone school afmaakt en een echt vak gaat studeren. Je bent er intelligent genoeg voor.'

Het duizelde Duco. Wat een speech was dat. En voor één keer niet geschreeuwd. Hij gaf zelfs toe dat hij talent had. Maar wat bedoelde Gert-Jan er nou mee? Hij zei niet dat hij zelf mocht beslissen. Het leek er meer op dat hij zelf mocht kiezen om het jongleren op te geven, maar niet om ermee door te gaan.

Dat was het! Gert-Jan had hem hiernaartoe gebracht om hem bang te maken! Om hem te laten zien dat hij alleen maar zou kunnen verliezen. Nou, dat ging mooi niet lukken. Een circusshow was toch iets heel anders dan een beschimmelde geitenstal vol gebutste helmen? En zelfs al zou hij niet veel verdienen, wat kon hém dat nou schelen?

Duco wachtte op het vervolg van Gert-Jans toespraak. Met zwijgen kwamen ze ook niet verder. Het was nog steeds zijn ja tegen Gert-Jans nee. Aan de andere kant, zo rustig als Gert-Jan nu was... Het leek ineens alsof ze er wel gewoon over konden praten.

Ineens kreeg Duco een idee. 'Gert-Jan,' vroeg hij, 'was jij gelukkig in je American football-tijd?'

‘Gelukkig? Wat een vraag! Het was de mooiste tijd van mijn leven, met alle respect voor je moeder. We waren één grote familie op een missie. De vriendschappen, het plezier, de successen. We hebben met zijn allen Europa veroverd.’

‘En dacht je in die tijd aan wat je later ging verdienen als je groot was?’

‘Het was een heel andere tijd. Ik was hartstikke jong, dat kon ik toen nog niet weten.’

‘Oké, stel je nu eens voor,’ zei Duco, ‘je bent weer jong, je weet wat je nu weet, en je mag opnieuw kiezen: American football spelen of op school zitten. Wat zou je dan doen?’ Hij keek zijn vader recht in zijn ogen. Dit was dé vraag van alle vragen. De honderdduizend euro-vraag. Als Gert-Jan echt zo eerlijk was als hij zich altijd voordeed, dan móést hij deze vraag gewoon eerlijk beantwoorden.

Het bleef minutenlang stil.

Opeens stond Gert-Jan op en pakte de halter van het rek in de hoek. Hij bewoog het gewicht op en neer om zijn biceps te trainen. Daarna legde hij het gewicht weer zachtjes terug in het rek.

Hij draaide zich om. Zonder Duco aan te kijken pakte hij een schouderbeschermer op en ging ermee op zijn schoot zitten. Hij bekeek het hele geval, trok een bandje dat scheef zat recht en legde de beschermer weer terug. Toen pakte hij een van de rode helmen van het rek boven zijn hoofd en zette hem op. Hij klikte de kinband vast en draaide een paar keer met zijn hoofd heen en weer. Hij liep naar een deur waarop DOUCHE stond. Plotseling sprong hij naar voren en beukte met zijn hoofd keihard tegen de deur. Met een krakende knal sloeg de helm een diep gat in het hout.

Duco schrok zich een aap. Moest Gert-Jan zich even afreageren of zo? Nou ja, liever op de deur dan op hem, dat was zeker.

Gert-Jan deed de helm af, legde die voorzichtig weer terug en keek op zijn horloge.

'Kom jongen, we moesten maar weer eens gaan.'

Zwijgend liepen ze naar buiten. Gert-Jan duwde de deur dicht door er met zijn schouder tegenaan te beuken en draaide de sleutel krakend rond. Hij legde de sleutel weer terug op de richel boven de deur.

Ze liepen door het hek het lange pad weer op. Gert-Jan sloeg even een arm om Duco heen.

Wat deed hij nou? Duco voelde zich superongemakkelijk. Wat betekende die arm nou? Een nee-arm die bedoelde: het-is-nee-maar-ik-vind-het-toch-een-beetje-zielig-voor-je-dus-sla-ik-maar-even-een-arm-om-je-heen-als-troost? Of toch een ja-arm die bedoelde: ik-vind-het-lastig-om-te-moeten-toegeven-maar-ik-ben-ook-wel-trots-op-je? Zo wist hij nog niks. Hij had toch een duidelijke vraag gesteld?

De hele weg terug zei Gert-Jan niets. Duco staarde strak voor zich uit. Hij ging echt niet als eerste iets zeggen. Hij had recht op een antwoord. Als je de vraag van alle vragen had gesteld, was dat toch wel het minste.

Uit zijn ooghoeken zag hij dat Gert-Jan met dat irritante glimlachje van hem om zijn mond zat te sturen.

Duco werd steeds bozer. Wat zat die man nou stom te lachen? Het liefst mepte hij dat lachje nú van zijn gezicht af. Straks sleepte Gert-Jan hem ook nog mee terug naar huis. Bij het eerste het beste rode stoplicht ging hij uit de auto springen.

Duco zette zich schrap bij ieder stoplicht dat ze naderden, maar iedere keer sprong het op groen en konden ze zonder stoppen doorrijden.

Ze kwamen bij de splitsing op de brug waar ze normaal rechtsaf gingen om naar huis te gaan. Tot Duco's verbazing nam Gert-Jan de weg naar links, richting centrum.

'Wat zit je nou verbaasd te kijken? Ik zou je toch terugbrengen naar de winkel?'

Nu begreep hij er helemaal niets meer van. Gert-Jan hield zich toch aan de afspraak. Wat betekende dat? Hij wilde antwoord op zijn vraag! Het liefst wilde hij nu óók met zijn hoofd ergens tegenaan slaan. Even een stuk uit het dashboard koppen. Hij klauwde zijn handen in de zitting van zijn stoel om het maar niet uit te hoeven schreeuwen van frustratie.

Binnen tien minuten waren ze op het Rokin, vlak bij de steeg.

Toen Gert-Jan de auto aan de rand van de stoep parkeerde, zag Duco Yakima lopen. Nog voor de auto stilstond sprong Duco eruit. 'Yakima!' riep hij over straat. Yakima begon te rennen en ze vlogen elkaar in de armen.

Hij begroef zijn gezicht in haar nek. Ineens voelde hij de tranen in zijn ogen schieten. Hij haalde diep adem, hij ging hier niet midden op straat een potje staan huilen.

Yakima pakte hem bij zijn schouders. 'Wat is er, gaat het wel goed met je?'

Bij de aanblik van Yakima's bezorgde ogen kwamen de tranen bijna direct weer omhoog. Hij draaide zijn hoofd weg. 'Ik weet het niet, ik...'

'Hé, Duco,' klonk ineens Gert-Jans stem vlakbij. 'Je hebt me nog niet behoorlijk voorgesteld aan je vriendin.'

'Dag meneer, ik ben Yakima,' zei ze kalm en stak haar hand uit. 'Ik had u al eerder gezien hoor.'

'Dat was ik niet, dat was mijn domme broer. Zeg Duco, ik moet nu naar huis. Je moeder vertellen hoe het is gegaan. Leuk je ontmoet te hebben, Yakima.' Gert-Jan liep naar de Volvo, stak zijn hand op en ging zitten.

Duco wilde doorlopen en trok Yakima mee. Snel weg bij die man. Hij was er helemaal klaar mee. Niks zeggen, maar wel een beetje slijmen met Yakima.

Ze liepen net de steeg in toen er werd getoeterd. Duco keek om.

Gert-Jan stond weer naast de auto. 'En Duco, goed oefenen hè, anders laten ze je nooit toe op die circusschool van je!' Hij stak zijn hand op, sprong de Volvo weer in en reed direct weg.

Wát had Gert-Jan gezegd? Hij geloofde het nauwelijks. Was dit het antwoord op de moeder der vragen? De steeg werd mistig en hij kreeg overal op zijn lichaam kippenvel.

'Duco, gaat het wel? Het is toch geweldig wat je

vader net zei?' zei Yakima. Ze ging voor hem staan en omhelsde hem. 'Ik ben zo blij voor je,' fluisterde ze in zijn oor.

Hij hield zich stevig vast aan Yakima. Hij begroef zijn gezicht in haar haren, ademde haar kokoslucht in en begon zachtjes te huilen. Yakima wiegde hem zachtjes heen en weer. Dat maakte hem rustiger. Langzaam werd het weer helder in zijn hoofd. Het was dus echt waar! Gert-Jan had geantwoord! Op een beetje vreemde manier misschien, maar dat kon hem nu niets meer schelen.

Na een tijdje haalde hij diep adem. Het voelde vrij en ruim in zijn borst, net alsof er een enorme last van hem was afgevallen. Hij gaf Yakima een kus, en nog een, en nog een.

Ze pakte zijn hoofd met twee handen vast en kuste hem terug. 'Ik ook van jou!' riep ze lachend.

Hij pakte haar bij de hand. 'Kom, we gaan het aan Larry vertellen.'

15

Drie maanden later...

Duco lag in zijn bed naar het plafond te staren. Hij kon niet slapen van de warmte. Het was hartje zomer en vanmiddag was het boven de dertig graden geweest. Hij voelde gewoon nog de warmte van het dak afstralen. Was het maar vast morgen. Eigenlijk was hij totaal niet moe.

Morgenvroeg ging hij met Gert-Jan en Ilse naar de auditie voor de circusschool. Zijn kleren lagen al klaar. Hij ging helemaal in het zwart. Dat was de meest coole kleur en de props staken er mooi bij af. Vanwege zijn dikke kont hoefde het niet meer. Gisteravond woog hij nog maar tachtig kilo. Hij had nu het lichaam van een Griekse god, had Yakima laatst geroepen.

Hij wreef met zijn handen tegen elkaar. Hij voelde de eeltbobbeltjes langs elkaar glijden. Deze jongens waren na al die maanden trainen in topconditie. Hij vlocht zijn vingers in elkaar en liet ze knakken.

Een pingeltje op zijn computer kondigde een bericht aan. Duco gleed uit zijn bed en ging achter de computer zitten. Het was Yakima.

< Hi Duco. Mis je zo... lig in mijn bedje te woelen....

Mis je... Kussenxxxxxxxxxxxxxxxxxxxx >

< Mis je ook... Wil je 1000den xxxxxxxxxxxxxxxx-jes geven... Morgen? > tekstte Duco terug.

< Morgen... mmmm spannend. We gaan het halen, dat voel ik gewoon... En dan blijven we voor altijd bij elkaar... XXXX!!! > antwoordde Yakima.

Er werd op de deur geklopt, Ilse kwam binnen.

< Ma komt binnen... Zie je morgen XXXXXXX XXXXXX!!!!! > typte Duco snel.

'Ben je nog gezellig aan het chatten? Zeker met Yakima?' Ilse ging achter hem staan. Duco maakte snel het scherm leeg. Zijn moeder hoefde niet alles te weten.

'Ja, nog even de laatste details.'

Ilse wilde Duco door zijn haren aaien. Hij draaide zijn hoofd weg.

'Ik ben geen baby meer, mam.'

'Nee, dat vergeet ik wel eens. Goed dat je me het af en toe helpt herinneren.' Ilse staarde even voor zich uit. 'Weet je wat zo grappig is?' ging ze verder. 'Toen je wegliep naar Yakima stortte mijn wereld in. Ik dacht dat ik je kwijt was. Achteraf is het het beste geweest wat ons had kunnen overkomen. Je bent zo gegroeid de laatste tijd. Ik weet niet wat jij met papa die dag hebt besproken, maar hij is bijna net zo leuk als vroeger.

'Ja, het is goed, mam,' zei Duco snel. Hij had ook wel gezien dat ze liever waren voor elkaar. Hij had ze laatst zelfs in de keuken betrapt. Stonden ze gewoon te zoenen! Straks ging ze nog meer details vertellen!

Ilse gaf hem een kus. 'Ik ben trots op je, zelfs als

je het morgen niet zou halen. Welterusten.' Zachtjes sloot ze de kamerdeur.

Hij ging weer liggen. Morgen moest hij de show van zijn leven geven. Als het ging zoals vanmiddag bij Larry, dan zat het goed. Larry had nog gezegd dat hij alle vertrouwen in hem had. Hij hoefde zich niet druk te maken over zijn optreden.

Als Brian al kon optreden, dan kon hij het zeker, had Larry geroepen. Ze maakten vaak grappen over Brian, die af en toe langs kwam om hulp te vragen. Hij kende de basics nauwelijks. Maar hij had zoveel haast om geld op te gaan halen dat hij na een paar weken oefenen al op het plein was gaan staan. Ongelofelijk hoe brutaal die jongen was. Normaal zou niemand voor zoiets geld durven vragen, behalve misschien een zesjarige op Koninginnedag. Maar Brian was wel slim geweest. Hij had er een grappige act van gemaakt. Hij sloeg munt uit zijn onhandigheid.

Er werd weer zacht op de deur geklopt. Gert-Jan liep de kamer in met in zijn hand een klein pakketje.

'Je kan vast niet slapen,' zei Gert-Jan. 'Dat had ik vroeger ook voor een belangrijke wedstrijd.' Hij ging op Duco's bed zitten.

Duco schoof opzij en ging op zijn elleboog liggen.

'Ik wilde je iets geven wat je misschien morgen kan dragen, of in ieder geval bij je kan hebben,' zei Gert-Jan. Hij pakte het pakketje met twee handen beet. Door het gewicht van de stof ontvouwde het zichzelf. Het was een rood American football-shirt met daarop nummer 55 en erboven met grote letters VAN STAVEREN. Er zaten wat scheurtjes op de schouders.

'Dit was mijn geluksshirt,' zei Gert-Jan. 'Hiermee wonnen we de eerste keer het Europese kampioenschap.' Hij gaf het aan Duco.

Duco ging rechtop zitten en pakte het shirt met beide handen aan. Het shirt van Gert-Jan!

'Kijk, de verfstrepen van de helmen van de tegenstander zitten er nog op.' Gert-Jan wees op een paar gele en blauwe vegen op de schouders.

Duco kende het shirt wel. Gert-Jan zorgde ervoor alsof het een kostbaar stuk antiek was. Hij waste het zelf op de hand, een paar keer per jaar, hoewel hij het niet gebruikte. En als hij het in zijn handen had, volgde er een of ander verhaal over zijn heldentochten door de wereld. Dat hij dit nu weggaf...

'Dankjewel, papa,' zei Duco zacht. Hij hield het shirt voor zich en drukte het tegen zijn gezicht. Wat voelde dat zacht; het leek wel zijde. Hij snoof de lucht van het shirt op. Het rook naar waspoeder, maar in de verte rook Duco nog dezelfde lucht als in die kleedkamer. Eigenlijk best lekker.

'Ik heb bedacht dat als je echt gaat voor het jongleren, dat je dan ook maar de beste van de wereld moet worden. Dit shirt kan je daar een beetje bij helpen, want naast discipline, energie en focus heb je af en toe ook een beetje geluk nodig.' Gert-Jan sloeg een arm om hem heen en gaf hem een kus op zijn voorhoofd.

'Probeer nu wat te slapen. Morgen is een belangrijke dag. Je hebt er hard voor gewerkt, jongen.' Gert-Jan was al bijna de kamer uit toen hij zich weer omdraaide. 'O ja, vergeet het advies van mijn oude coach niet: ga eropaf, geniet van de show en wees niet bang om te verliezen. Slaap lekker, Duco.' Hij sloot zachtjes de deur.

De deur ging bijna meteen weer open. 'Ik vergat er nog een, deze is van mezelf en dan ben ik echt weg,' zei Gert-Jan. 'Hier komt hij, en het is eigenlijk het belangrijkste: wees nooit bang om te winnen.'